D0045903

Giselher Schmidt

Spartakus — Rosa Luxemburg und Karl Liebknecht

Giselher Schmidt

Spartakus

Rosa Luxemburg und Karl Liebknecht

Akademische Verlagsgesellschaft
ATHENAION

UNIVERSITY OF VICTORIA
LIBRARY
Victoria, B. C.

© by Akademische Verlagsgesellschaft ATHENAION, Frankfurt am Main
Alle Rechte vorbehalten
Gesamtausstattung: Peter Haase
Printed in Germany 1971
Satz und Druck: Druck- und Verlagshaus Schneider & Weber, Kassel

ISBN 3 — 7997 — 0081 — 1

Inhalt

KARL LIEBKNECHT

ANHANG: DOKUMENTE

Einleitung

Der Kalte Krieg zwischen Ost und West erschwerte lange Zeit eine differenzierte Betrachtungsweise des Kommunismus und seiner Geschichte. Allzu gerne machte man im Westen alle Kommunisten für die Stalinschen Exzesse und die Gründer der KPD für die Fehlleistungen der DDR-Regierung verantwortlich. In den fünfziger Jahren konnten deshalb auch Rosa Luxemburg und Karl Liebknecht nur selten eine gerechte Würdigung erfahren. Vielen schwebte das Bild der »blutigen Rosa« vor, das der sozialliberale Publizist und Politiker Friedrich Naumann bereits kurz nach der Jahrhundertwende in seiner Zeitschrift »Die Hilfe« entworfen hatte. Selbst die Veröffentlichung ihrer - eine tiefe und warmherzige Menschlichkeit offenbarenden - Briefe durch Benedikt Kautsky, den weder prokommunistischer noch proluxemburgischer Tendenzen verdächtigten Sohn des sozialdemokratischen Theoretikers Karl Kautsky, konnte nur wenig an dem weit verbreiteten Klischee ändern. So brachte 1954 selbst noch der angesehene liberale Historiker Erich Eyck, ein Gegner des Bismarckschen Machtstaates, Karl Liebknecht und Rosa Luxemburg einseitig mit Terror in Verbindung und verbreitete die Mär von der Lynchjustiz einer aufgeregten Menge an Rosa Luxemburg: ». . . Das größte Aufsehen erregte die Tötung von Karl Liebknecht und Rosa Luxemburg am 16. Januar [sic!]. Die große Mehrzahl der Bevölkerung Berlins begrüßte sie als die Befreiung von einer großen Gefahr, ohne sich viel den Kopf darüber zu zerbrechen, ob alles mit rechten Dingen zugegangen sei. Die Freunde der Getöteten schrieen laut, daß sie von der reaktionären Soldateska ermordet worden seien. Heute kann man wohl als feststehend ansehen, daß zum mindesten Rosa Luxemburg das Opfer der Lynch-Justiz einer aufs äußerste erregten Menge geworden ist. Man entschuldigt den Mord nicht, wenn man an das alte Wort erinnert, daß, wer das Schwert erhebt, durch das Schwert zugrunde gehen soll, und man hat zu viele Bluttaten gerade der Gesinnungsgenossen Liebknechts und der Luxemburg erlebt, um gerade über ihr Geschick eine besonders starke Empörung empfinden zu können ...«[1] Eyck ging allerdings nicht so weit wie der konservativ-reaktionäre Publizist Winfried Martini, der dem Gewerkschaftsorgan »Welt der Arbeit« zufolge den Mord an Rosa Luxemburg und Karl Liebknecht nachträglich als »prophylaktischen Tyrannenmord« zu rechtfertigen suchte.[2]

In kommunistischen Staaten wurde - bei aller platonischen Verehrung für Rosa Luxemburg und Karl Liebknecht - Rosa Luxemburgs unerschütterlicher Glaube an die Masse und an die revolutionierende Kraft von Massenaktionen, der der Leninschen Lehre von dem avantgardistischen und elitären Charakter der Partei widerspricht, als »Luxemburgismus« verworfen. Wie sehr ein Bewunderer von Rosa Luxemburg in das Kreuzfeuer von Erzkonservativen und orthodoxen Kommunisten kommen konnte, das zeigte noch 1966 das Fernsehspiel »Die rote Rosa« des radikaldemokratischen Poeta doctus Walter Jens, der sowohl von ultrakonservativen Zeitungen der Bundesrepublik als auch von der DDR-Presse kartätscht wurde. Inzwischen geriet manches in Fluß - sowohl in der öffentlichen Meinung der Bundesrepublik (wo man kaum noch ungestraft Rosa Luxemburg als »blutige Rosa« verketzern darf) als auch in der DDR (deren Staatspartei die schlimmsten stalinistischen Bannbullen gegen den »Luxemburgismus« ad acta gelegt hat). Schon in den 60er Jahren konnte man in der Bundesrepublik eine Rosa-Luxemburg-Renaissance beobachten. Viele ihrer Schriften erschienen auf dem Büchermarkt. Von den Veröffentlichungen über sie seien die Neuauflage des bereits 1939 vollendeten Buches »Rosa Luxemburg - Gedanke und Tat« von Paul Frölich und die umfassende Biographie des englischen Politologen Peter Nettl genannt. (Weitere Schriften werden im Literaturverzeichnis angeführt.) Die meisten größeren Publikationen über Rosa Luxemburg zeichnen sich leider durch eine einseitige Parteinahme für sie aus, was mit Einschränkungen auch für Peter Nettl gilt, der bei aller wissenschaftlichen Akribie und bei allem anerkennenswerten Bemühen um Objektivität doch von manchen ihrer politischen Gegner, wie etwa von Karl Kautsky, nur ein einseitig negatives Bild vermittelte.

Insbesondere die Neue Linke begeistert sich für Rosa Luxemburg und Karl Liebknecht und übernimmt gläubig ihre Parolen. In ihnen erblickt sie sozialistische Märtyrer, die sich - da sie wegen ihres Todes am 15. Januar 1919 keine Verantwortung in einem demokratischen oder kommunistischen Staatswesen übernehmen konnten - durch keinerlei anfechtbare Praxis befleckt hatten. Gerne taufen revoltierende Studenten ihre Universitäten und Institute nach Rosa Luxemburg und Karl Liebknecht um. Aber das Bild Rosa Luxemburgs ziert auch die Redaktionsstuben mancher angesehenen Zeitung. Günter Grass spöttelte einmal über den Heiligenkult, der in Kreisen der Neuen Linken mit Rosa Luxemburg und Karl Liebknecht betrieben wird: »Oft habe ich Vertreter des SDS oder der APO von Rosa Luxemburg sprechen hören, als sei diese Sozialistin die Heilige Klara gewesen, die in Karl Liebknecht ihren Franz von Assisi erkannt habe.«[3]

1971, das Jahr, in dem der 100. Geburtstag von Rosa Luxemburg (5. März) und von Karl Liebknecht (13. August) begangen wird, sollte Anlaß zu einer abgewogenen und kritischen Untersuchung über das politische Denken und Wollen der beiden radikalen Sozialisten sein. Der Verfasser hat bereits einige Aufsätze über Rosa Luxemburg verfaßt. Stets bekam er böse Briefe. Die einen - von rechtsaußen - warfen ihm vor, daß er sich überhaupt mit einer Kommunistin beschäftigt und für sie sogar noch anerkennende Worte gefunden hatte. Die anderen - von linksaußen kommend - verübelten es ihm, daß er Rosa Luxemburgs Rätekonzeption und ihren Antiparlamentarismus kritisiert und daß er ihre politischen Gegner, wie die Sozialdemokraten Friedrich Ebert, Philipp Scheidemann, Eduard Bernstein und Karl Kautsky gegenüber ihren Invektiven in Schutz genommen hatte.

Dieses Buch will keine Biographie ersetzen, sondern Rosa Luxemburgs und Karl Liebknechts politische Gedankenwelt analysieren (wobei bemerkenswerte biographische Details berücksichtigt werden). Viele Fragen, etwa nach allen Mitschuldigen am Mord vom 15. Januar 1919, müssen deshalb offen bleiben. Da Rosa Luxemburg mehr zur sozialistischen Theorie als Karl Liebknecht beigesteuert hat, ist die Untersuchung über sie auch umfangreicher. Es soll auch der Eindruck vermieden werden, als ob es sich bei Rosa Luxemburg und Karl Liebknecht um ein politisches Dioskurenpaar gehandelt habe, das in allen politischen Fragen konform ging.

Der Autor vermag weder dem konservativ-reaktionären Wunsch nach Verdammung noch dem schwärmerischen Wunsch der heimatlosen Linken nach Verklärung und Idolisierung zu entsprechen. Er bemüht sich vielmehr um eine kritisch-abwägende Mitte.

Frankfurt am Main, im Januar 1971 *Giselher Schmidt*

Rosa Luxemburg

Rosa Luxemburg als Internationalistin und Humanistin

Rosa Luxemburg ist und bleibt eine umstrittene Persönlichkeit. Umstritten ist sogar ihr genaues Geburtsdatum. Frühere Biographen wie ihre langjährige Freundin Henriette Roland Holst-van der Schalk und noch Paul Frölich nannten den 5. März 1870 ihren Geburtstag. In den frühen fünfziger Jahren hatte bereits der DDR-Biograph Fred Oelßner den 5. März 1871 als ihr Geburtsdatum angegeben. Nach der umfassenden Biographie Peter Nettls von 1966 hat sich diese Auffassung allgemein durchgesetzt, wenn auch der Politikwissenschaftler Iring Fetscher (in einer Sendung des Hessischen Rundfunks von Anfang März 1970) und Harry Wilde an der alten Auffassung festhalten.

Fest steht Rosa Luxemburgs Geburtsort Zamość, eine Provinzstadt südöstlich von Lublin im galizischen Gebiet Polens, das 1772 bei der ersten polnischen Teilung Österreich und 1815 auf dem Wiener Kongreß endgültig dem Zarenreich zufiel.[1] Man versetze sich in die Lage der polnischen und der jüdischen Bevölkerung jener Zeit. 1863/64 war mit deutscher Hilfe der letzte polnische Aufstand im russischen Kongreßpolen niedergeschlagen worden. Darauf erfolgte - parallel mit einer ansonsten etwas liberaleren russischen Innenpolitik unter Alexander II. - eine rücksichtslose Russifizierung des polnischen Gebietes. Russisch wurde Amtssprache, die Warschauer Universität wurde von einer polnischen in eine russische umgewandelt. Allgewaltig herrschte der russische Generalgouverneur. Die Erinnerung an eine polnische Nation sollte ausgelöscht werden.

Nach 1871 forcierte zudem die preußische Regierung die Germanisierung des westlichen Polens und verdrängte Polnisch als Amtssprache; diese Germanisierung wurde durch den Kulturkampf gegen die katholische Kirche, der die überwältigende Mehrheit der polnischen Bevölkerung angehörte, verschärft.

In Ostpolen war die polnische Freiheitsbewegung zerschlagen und die aufstrebende Klasse der Bourgeoisie durch den wirtschaftlichen Aufschwung korrumpiert. Der in Galizien geborene Sozialist und später bei Stalin in Ungnade gefallene Kommunist Karl Radek schildert in seiner biographischen Skizze über Rosa Luxemburg eindrucksvoll die Anpassung der polnischen Bourgeoisie an den russischen Absolutismus: »Sie wurde in jener Periode der polnischen Geschichte geboren, wo sich Polens herrschende Klassen von allen nationalen Idealen abwandten, den Kampf um die Unabhängigkeit an den Nagel hängten und stolz erklärten, sie dienten am besten dem Vaterlande, wenn sie Kartoffeln in Spiritus verwandelten, oder billig Drillichjacken massenhaft von Lodz, dem polnischen Manchester, nach Rußland exportierten. Die Periode der sogenannten organischen Arbeit, des Obsiegens der bürgerlichen Elemente, die unter dem Schutz des Zarismus das Antlitz Polens von jedem romantischen Zug befreiten, diese Periode wurde in der Literatur, in der Presse zwar verschönert durch die Behauptungen, daß auf diese Weise Polen vom Keller bis zum Dach beleuchtet und erhellt wird ... Aber in Wirklichkeit war die geistige Atmosphäre, in der Rosa Luxemburg aufgewachsen war, die kühle, kahle, hohle Atmosphäre eines Liberalismus, der auf seine wichtigsten historischen Aufgaben verzichtete, auf den Kampf gegen den feudalen Absolutismus ...«[2]

Der Industriearbeiter in Kongreßpolen zählte trotz dem wirtschaftlichen Aufschwung zu den schlecht bezahltesten in ganz Europa. Sein Lohn lag weit unter dem seines deutschen Kollegen - ja selbst unter dem eines polnischen Bergarbeiters in Schlesien. Die jüdische Bevölkerung Ostpolens hatte die Funktion eines Blitzableiters und eines permanenten Sündenbocks. Der Jude mußte das Schicksal eines Hundes ertragen, er war - wie Paul Frölich bemerkt - »der Hund noch des Elendesten, und alle Fußtritte landen schließlich von der Spitze der sozialen Pyramide herab bei ihm.«[3]

Rosa Luxemburgs Vater war polnischer Jude im Zarenreich, ein von manchen wirtschaftlichen Rückschlägen betroffener Holzkaufmann, der 1874 nach Warschau zog, um seinen fünf Kindern (mit Rosa als Jüngster) eine bessere Bildung zukommen zu lassen. Die

Mutter, ebenfalls aus einer polnisch-jüdischen Familie stammend, übte großen Einfluß auf die geistige Entwicklung ihrer Kinder aus. Sie las leidenschaftlich gern die Bibel und deutsche wie polnische Klassiker der Literatur. Mit Friedrich Schiller betrieb sie fast einen Kult.

Rosa Luxemburg, klein, unscheinbar und gehemmt durch ein frühes Hüftleiden, trat 1880 in die erste Klasse des zweiten Warschauer Mädchengymnasiums ein. Die streng vorgeschriebene Umgangssprache war Russisch. Für Jüdinnen bestand ein enger numerus clausus. Dennoch war Rosa Luxemburg eine vorzügliche Schülerin - die kleinste, die jüngste und die beste.

In jenen Jahren verstärkte sich, insbesondere nach der Ermordung des Zaren Alexander II. (1881), der innenpolitische Druck. Später, in der Einleitung zu Wladimir Korolenkos »Die Geschichte meines Zeitgenossen« beschreibt Rosa Luxemburg diese bedrückende Atmosphäre: »Im alten Rußland war die Todesstrafe für gemeine Verbrechen längst abgeschafft. Die Hinrichtung war in normalen Zeiten eine Auszeichnung, die für politische Verbrechen vorbehalten war. Besonders seit dem Aufleben der terroristischen Bewegung Ende der 70er Jahre kam die Todesstrafe in Schwung, und nach dem Attentat auf Alexander II. scheute die zaristische Regierung sogar nicht davor zurück, Frauen dem Galgen zu überantworten ... Als in den 80er Jahren vier Soldaten des ›Strafbataillons‹ hingerichtet wurden zur Strafe für die Ermordung ihres Feldwebels, der sie systematisch gepeinigt und mißhandelt hatte, spürte man selbst in der widerstandslosen, gedrückten Stimmung jener Jahre so etwas wie ein Erschauern der öffentlichen Meinung in stummem Entsetzen ...«[4]

»... In den 80er Jahren, nach dem Attentat auf Alexander II., war über Rußland eine Periode starrster Hoffnungslosigkeit hereingebrochen. Die liberalen Reformen der 60er Jahre wurden in der Gerichtsbarkeit, der ländlichen Selbstverwaltung allenthalben zurückrevidiert. Friedhofsruhe herrschte unter den Bleidächern der Regierung Alexanders III. Der russischen Gesellschaft, die durch das Scheitern aller Hoffnungen auf friedliche Reformen wie durch die anscheinende Wirkungslosigkeit der revolutionären Bewegung gleichermaßen entmutigt war, bemächtigte sich eine gedrückte, resignierte Stimmung ...«[5]

Freilich wurde die Grausamkeit durch die blutige Racheaktion nach der gescheiterten russischen Revolution des Jahres 1905 noch bei weitem übertroffen.

Den wachsenden innenpolitischen Druck im Zarenreich der achtziger Jahre bekam auch die erste sozialistische Partei Polens, die »Sozialistisch-Revolutionäre Partei Proletariat«, die 1883 ein Bündnis mit der terroristischen russischen Bauernbewegung »Narodnaja Wolja« geschlossen hatte, zu spüren. Am 28. Januar 1886 wurden vier ihrer Führer - Bardowski, Kunicki, Ossowski und Pietrusinski - in der Warschauer Zitadelle gehenkt. Der Gründer der Gruppe, Ludwik Waryński, war zu 16 Jahren Zwangsarbeit verurteilt worden.[6]

Schon als Schülerin hatte Rosa Luxemburg Kontakt zu oppositionellen Zirkeln. Deswegen wurde ihr 1887 nach dem Abitur die goldene Medaille, die ihr auf Grund ihres - nur die Noten »Ausgezeichnet« und »Sehr gut« enthaltenden - Zeugnisses eigentlich zustand, verweigert. In den folgenden Jahren engagierte sie sich für die Partei »Proletariat«, von der freilich nur noch Restbestände übrigblieben. Sie mußte fliehen, da sie wegen ihrer politischen Tätigkeit gefährdet war. Martin Kaspschak, der später von der zaristischen Regierung mit dem Tod durch Strang bestrafte Veteran der Partei »Proletariat«, schmuggelte sie um die Jahreswende 1888/89 mit Hilfe eines katholischen Geistlichen (dem sie vortäuschten, sie wolle ins Ausland gehen, um sich taufen zu lassen) über die Grenze. Jahre später, in der polnischen Zeitschrift »Przeglad Socialdemokratyczny« von Januar/Februar 1903 widmet sie der Partei »Proletariat« und ihren Führern ein ehrenvolles Gedächtnis. Gleichzeitig weist sie aber - ebenso verständnisvoll wie kritisch - darauf hin, daß die ursprünglich rein marxistische Organisation Polens sich unter dem Einfluß der »Narodnaja Wolja« immer mehr - wie sie etwas vereinfachend nach dem französischen Verschwörer L. A. Blanqui definiert - »blanquistische« gleich verschwörerische und terroristische Gedankengänge aneignete:

»Da es aber zu der Zeit, als die Partei ›Proletariat‹ sich organisierte, in Rußland keine sozialdemokratische Bewegung, sondern nur eine Verschwörerpartei blanquistischer Prägung gab, wurden die polnischen Sozialisten vor ein Dilemma gestellt. Sie konnten entweder, um ihr sozialdemokratisches Programm zu bewahren, auf die Gemeinsamkeit von Programm und Aktion mit den russischen Sozialisten verzichten und selbständig in Polen den Kampf um den Sturz des Zarismus durch Massenagitation und Organisation der polnischen Arbeiter aufnehmen - oder auch, um ihrem grundsätzlichen Prinzip der Gemeinsamkeit der Aktion mit dem russischen Sozialismus zu folgen, auf das sozialdemokratische Programm und den Massenkampf verzichten und sich den Kampfmethoden der ›Narodnaja Wolja‹ unterordnen. Die Lösung dieses Problems sollte über das Schicksal des Sozialismus in Polen für fast ein Jahrzehnt entscheiden - und hat dies auch auf verhängnisvolle Weise getan . . . Nachdem also der polnische Sozialismus aus seiner Entwicklung im Geiste der westeuropäischen Sozialdemokratie die politische Konsequenz einer Verbindung mit dem russischen Sozialismus zur gemeinsamen Aktion gezogen hatte, mußte er schließlich unter den gegebenen konkreten Bedingungen allmählich auf blanquistische Wege geraten. Seine Geschichte ist also von dem Moment der formalen Organisierung der Partei im Lande bis zu seinem Niedergang Ende der achtziger Jahre ein stetiges Abweichen in blanquistischer Richtung von dem Standpunkt, der in dem Aufruf an die russischen Sozialisten im Dezember 1881 formuliert worden war . . .«[7]

Von 1890 bis 1897 studierte Rosa Luxemburg an der Universität Zürich. Die Entscheidung für eine bestimmte Disziplin fiel ihr nicht leicht. Sie verfügte über vielfältige künstlerische, literarische und wissenschaftliche Begabungen. Schon in ihrer frühen Jugend hatte sie Novellen und Gedichte verfaßt, und sie beherrschte mehrere Sprachen vorzüglich. In der polnischen, russischen und deutschen Literatur war sie gleichermaßen zu Hause. Ihre besondere Neigung galt ihr Leben lang der Botanik und der Zoologie. So nahm sie in Zürich zunächst ein naturwissenschaftliches und mathematisches Studium auf. 1892 sattelte sie auf Nationalökonomie um, die damals in der juristischen Fakultät gelehrt wurde. Sie hörte auch Vorlesungen über Öffentliches Recht. Neben ihrem Studium vernachlässigte sie aber nicht die politische Tätigkeit. Nach vorübergehenden Kontakten zu der Gruppe »Befreiung der Arbeit« des russischen Sozialisten Georg Plechanow engagierte sie sich für die 1892/93 gegründete Polnische Sozialistische Partei (PPS). Sie wurde erst

Mitarbeiterin und dann Chefredakteurin der Zeitschrift »Sprawa Robotniscza« (Sache der Arbeit) und vertrat die sich um diese Zeitschrift bildende Gruppe als Delegierte auf dem Kongreß der II. Internationale in Zürich. Heftige Meinungsverschiedenheiten entbrannten innerhalb der polnischen Partei über die Frage der Selbständigkeit Polens. Da Rosa Luxemburg und ihre Freunde die Solidarität des polnischen Proletariats mit dem russischen über die Solidarität des polnischen Volkes stellten, bekämpften sie die Bestrebungen für einen unabhängigen polnischen Staat der polnischen Rechtssozialisten um Jozef Pilsudzki. Deshalb spaltete sich die polnische Sozialdemokratie: Rosa Luxemburg, Leo Jogiches, Julian Marchlewski und Adolf Warszawski gründeten die Sozialdemokratische Partei des Königreichs Polens (SDKP), die sich 1899 mit der litauischen Sozialdemokratie unter Felix Dzierzynski zur SDKPiL vereinigte. Rosa Luxemburg übte während ihres ganzen Lebens Einfluß auf diese Partei aus.[8]

1897 promovierte sie zum »Dr. juris publici et rerum cameralium« - Prädikat »magna cum laude« - mit einer Arbeit über das Thema »Die industrielle Entwicklung Polens«, die insbesondere ihre These von der wirtschaftlichen Unmöglichkeit eines selbständigen polnischen Staates erhärten sollte.

Deutschland galt ihr als das geeignetste Arbeitsfeld für ihre politische Agitation, denn zur damaligen Zeit genoß die deutsche Sozialdemokratie den besten Ruf unter allen sozialistischen Parteien. Um die deutsche Staatsangehörigkeit erwerben zu können, ging sie eine Scheinehe mit Gustav Lübeck ein. Mitte Mai 1898 siedelte sie nach Berlin über, im Juni begann ihre Parteitätigkeit in Oberschlesien, für die sie insbesondere wegen der Beherrschung beider Sprachen - des Deutschen wie des Polnischen - qualifiziert war. Ende September wurde sie zur Chefredakteurin der »Sächsischen Arbeiter-Zeitung« in Dresden ernannt, und Anfang Oktober nahm sie bereits am Parteitag der SPD in Stuttgart teil. In den folgenden Jahren engagierte sie sich stark bei den Aussprachen auf den jährlichen Parteitagen - insbesondere bei der Auseinandersetzung mit dem rechten Flügel der Sozialdemokratie - und arbeitete als Publizistin und Redakteurin für sozialdemokratische Zeitungen. Gelegentlich geriet sie mit dem Strafrecht der Kaiserzeit in Konflikt.

Wurde sie bereits 1901 wegen öffentlicher Beleidigung zu 100 Mark Geldstrafe verurteilt, so brachte ihr 1904 der gegen Kaiser Wilhelm II. gerichtete Ausspruch: »Der Mann, der von der guten und gesicherten Existenz der deutschen Arbeiter spricht, hat von den Tatsachen keine Ahnung«, eine Gefängnisstrafe von drei Monaten wegen Majestätsbeleidigung. 1905 fuhr sie anläßlich der ersten russischen Revolution illegal nach Warschau, wo sie im März 1906 verhaftet und im Juli gegen Hinterlegung einer Kaution aus der Haft entlassen wurde. In Deutschland führten noch im selben Jahr ihre Reden bei der Massenstreikdebatte zu einer Gefängnisstrafe wegen »Aufreizung zur Gewalttätigkeit«, eine Strafe, die sie im Sommer 1907 verbüßte. Im Herbst 1907 wurde sie an der Berliner Parteischule Dozentin für Nationalökonomie. Da Rosa Luxemburg über ein außergewöhnliches Sprachtalent verfügte - sie übersetzte einmal aus dem Stegreif eine Rede des französischen Sozialistenführers Jean Jaurès aus dem Französischen ins Deutsche - und da sie auf besondere Weise jüdische, polnische, deutsche und russische Geistigkeit in sich vereinigte, erschien sie zur Teilnahme an internationalen sozialistischen Kongressen besonders geeignet. Leo Trotzki, mit dem sie sowohl während seiner menschewistischen als auch während seiner bolschewistischen Phase öfters die Klingen kreuzte und der doch in seiner Konzeption der permanenten Revolution und eines internationalen Kommunismus Rosa Luxemburgs Auffassungen recht nahe kam, begegnete ihr mehrmals in der Zeit vor dem 1. Weltkrieg, und er entwarf in seiner Autobiographie »Mein Leben« ein farbiges Porträt von ihr: »Auf dem Londoner Kongreß kam ich mit Rosa Luxemburg, die ich schon seit 1904 kannte, näher zusammen. Klein, zart, sogar kränklich, mit edlen Gesichtszügen und herrlichen Augen, die Geist sprühten, bezwang sie durch die Stärke ihres Charakters und den Mut ihrer Gedanken. Ihr Stil - konzentriert, präzis, erbarmungslos - wird stets ein Spiegel ihres heroischen Geistes bleiben. Das war eine vielseitige, an Nuancen reiche Natur. Die Revolution und ihre Leidenschaften, der Mensch und seine Kunst, die Natur, ihre Vögel und Gräser waren in gleichem Maße fähig, Rosa Luxemburgs Seele, die viele Saiten hatte, ins Schwingen zu bringen. ›Aber ich muß doch jemand haben, der mir glaubt‹, schrieb sie an Luise Kautsky, ›daß ich nur aus Versehen im Strudel der Weltgeschichte herumkreisle, eigentlich aber zum Gänsehüten geboren bin.‹ ... In der Frage der sogenannten permanenten Revolution nahm sie die gleiche prinzipielle Stellung ein wie ich. In den Wandelgängen entstand zwischen mir und Lenin über dieses Thema ein halb scherzhafter Streit. Die Delegierten umstanden uns im dichten Kreise. ›Das kommt alles daher‹, sagte Lenin in bezug auf Rosa, ›daß sie Russisch nicht genug spricht‹. ›Dafür aber‹, antwortete ich, ›spricht sie gut marxistisch‹. Die Delegierten lachten und wir mit ihnen ...«[9]

Als Sozialistin glaubte Rosa Luxemburg an die Unvermeidlichkeit von Kriegen während der Herrschaft des Kapitalismus. Trotzdem warnte sie in unzähligen Reden immer wieder vor der heraufziehenden Kriegsgefahr, und sie spornte das internationale Proletariat an, durch entschlossenes revolutionäres Handeln diese Gefahr zu bannen. Wenige Monate vor Ausbruch des 1. Weltkrieges wurde sie noch wegen einer Rede gegen Militarismus und Krieg zu einer einjährigen Gefängnisstrafe verurteilt. Sie trat diese Strafe am 18. Februar 1915 an und wurde bald nach der Entlassung für die restliche Zeit des Weltkrieges in Schutzhaft genommen. Ein großer Schock für sie war die Zustimmung der Sozialdemokratie zu den Kriegskrediten am 4. August 1914. Die meisten sozialistischen Parteien der anderen am Krieg beteiligten Staaten unterstützten ebenfalls die Vaterlandsverteidigung und den innenpolitischen Burgfrieden. Rosa Luxemburg gründete zum Kampf gegen den Krieg gemeinsam mit Karl Liebknecht die Gruppe »Internationale«, aus der später die Spartakusgruppe beziehungsweise der Spartakusbund hervorging. Die Spartakusgruppe war erst als Kaderorganisation für die SPD, dann für die Unabhängige Sozialdemokratie gedacht und bildete schließlich die Kerntruppe der um die Jahreswende 1918/19 gegründeten Kommunistischen Partei Deutschlands. Als sich am 8. November 1918 für Rosa Luxemburg die Gefängnistüren öffneten, stürzte sie sich gleich in die revolutionären Wirren. Sie erstrebte im Gegensatz zu den Sozialdemokraten Friedrich Ebert und Philipp Scheidemann keine parlamentarische Demokratie, sondern ein Rätesystem, Diktatur des Proletariats als Form sozialistischer Demokratie. Auf dem Gründungsparteitag der KPD hielt sie die Programmrede. Gegen ihren Willen brach im Januar 1919 der

kommunistische Aufstand aus. Aber sie stand den Kämpfenden zur Seite. Bereits am 18. November 1918 hatte sie in einem Brief an Adolf Geck ihren baldigen Tod vorausgesagt: »Wir alle stehen unter dem blinden Schicksal, mich tröstet nur der grimmige Gedanke, daß ich doch auch vielleicht bald ins Jenseits befördert werde - vielleicht durch eine Kugel der Gegenrevolution, die von allen Seiten lauert . . .«[10] Ihre Voraussage sollte auf noch grausamere Weise in Erfüllung gehen. Freikorps-Soldaten verhafteten sie am 15. Januar 1919, brachten sie ins Berliner Eden-Hotel und ermordeten sie beim Abtransport auf Befehl von Hauptmann Pabst und unter Leitung von Oberleutnant Kurt Vogel. Die Leiche wurde in den Landwehrkanal geworfen und erst am 31. Mai 1919 gefunden. Eine große Menschenmenge erwies Rosa Luxemburg am 13. Juni 1919 auf dem Friedhof Berlin-Friedrichsfelde die letzte Ehre.
Rosa Luxemburg, die polnische, jüdische, russische und deutsche Kulturelemente in sich verschmolz, war die Streiterin für einen humanistischen und radikal-internationalistischen Sozialismus. Ihr Humanismus wurzelte in einer allgemeinen Ehrfurcht vor dem Leben, die jede Kreatur umschloß. Der stille unaufhaltsame Rückgang der Singvögel schmerzte sie ebenso wie das langsame Aussterben der Indianer in Nordamerika.[11] Sie litt mit dem Mistkäfer, der auf dem Rücken lag und von Ameisen bei lebendigem Leibe verzehrt werden sollte - und sie verscheuchte die Ameisen mit ihrem Taschentuch, befreite den Käfer von seinen Mörderinnen und legte ihn, dem bereits zwei Beinchen abgefressen waren, aufs Gras.[12]

Sie kniete vor halberfrorenen Hummeln nieder und weckte sie mit dem warmen Atem ihres Mundes.[13] Im Breslauer Frauengefängnis ruft sie einem ausgepeitschten, blutenden und erschöpften Büffel zu: »O mein armer Büffel, mein armer, geliebter Bruder, wir stehen hier beide so ohnmächtig und stumpf und sind nur eins in Schmerz, in Ohnmacht, in Sehnsucht.«[14]

In ihrer brüderlichen Verbundenheit mit jedweder Kreatur ähnelt sie dem heiligen Franz von Assisi, der den Vögeln predigte und in jeder Schöpfung den Bruder oder die Schwester gewahrte. Sie ähnelt hierin aber auch Goethe und Albert Schweitzer. In den Briefen aus dem Gefängnis offenbarte sie ihre menschliche Größe und Abgeklärtheit. So schrieb sie am 26. Januar 1917 aus der Festung Wronke an Luise Kautsky: ». . . Und dann bleibt mir noch Alles, was mich sonst erfreute: Musik und Malerei und Wolken und das Botanisieren im Frühling und gute Bücher und Mimi und Du und noch manches - kurz ich bin steinreich und gedenke es bis zum Schluß zu bleiben. Dieses völlige Aufgehen im Jammer des Tages ist mir überhaupt unbegreiflich und unerträglich. Schau z. B., wie ein Goethe mit kühler Gelassenheit über den Dingen stand. Denk doch, was er erleben mußte: die große Französische Revolution, die doch aus der Nähe gesehen sicher wie eine blutige und völlig zwecklose Farce sich ausnahm, und dann von 1793 bis 1815 eine ununterbrochene Kette von Kriegen, wo die Welt wiederum wie ein losgelassenes Irrenhaus aussah. Und wie ruhig, mit welchem geistigen Gleichgewicht trieb er gleichzeitig seine Studien über die Metamorphose der Pflanzen, über Farbenlehre, über tausend Dinge. Ich verlange nicht, daß Du wie Goethe dichtest, aber seine Lebensauffassung - den Universalismus der Interessen, die innere Harmonie - kann sich jeder anschaffen, oder wenigstens anstreben. Und wenn Du etwa sagst: Goethe war eben kein politischer Kämpfer, so meine ich: ein Kämpfer muß erst recht über den Dingen zu stehen suchen, sonst versinkt er mit der Nase in jedem Quark . . .«[15]

Rosa Luxemburgs Humanismus war universal und kannte keine Sonderwinkel - auch nicht für die Juden. Sie warnte ihre Freundin Mathilde Wurm vor den »speziellen Judenschmerzen« und verwies auf die Indios in Südamerika und auf die Neger in Afrika, insbesondere auf das Hererovolk, welches wenige Jahre nach der Jahrhundertwende in die Kalariwüste getrieben wurde:

»Was willst Du mit den speziellen Judenschmerzen? Mir sind die armen Opfer der Gummiplantagen in Putumayo, die Neger in Afrika, mit deren Körper die Europäer Fangball spielen, ebenso nahe. Weißt Du noch die Worte aus dem Werke des Großen Generalstabs über den Trothaschen Feldzug in der Kalahari: ›. . . Und das Röcheln der Sterbenden, der Wahnsinnsschrei der Verdurstenden verhallten in der erhabenen Stille der Unendlichkeit.‹ O diese ›erhabene Stille der Unendlichkeit‹, in der so viele Schreie *ungehört* verhallen, sie klingt in mir so stark, daß ich keinen Sonderwinkel im Herzen für das Getto habe: ich fühle mich in der ganzen Welt zu Hause, wo es Wolken und Vögel und Menschentränen gibt.«[16]

Rosa Luxemburgs Ansichten über die Möglichkeit von Massenaktionen und ihre allgemeine Vorliebe für die Massen standen im schroffen Gegensatz zu der Überzeugung aller Demagogen, die bei Vereinfachung der Le Bonschen Massenpsychologie die Massen verachteten und lediglich als Gegenstand der Manipulation betrachteten. Sicherlich fehlte es bei Rosa Luxemburg nicht an Skepsis gegenüber der konkreten Volksmenge. So verwies sie in einem Brief an Hans Diefenbach - anläßlich einer zustimmenden Kommentierung von Gerhart Hauptmanns Roman der Nachfolge Christi »Der Narr in Christo Emanuel Quint« - auf »die Tragik des Menschen, der der Menge predigt und fühlt, wie jedes Wort in demselben Augenblick, wo es seinen Mund verläßt, vergröbert und erstarrt und in den Hirnen der Hörer zum Zerrbild wird; und auf dieses Zerrbild seiner selbst wird nun der Prediger festgenagelt und von den Schülern schließlich umringt und mit rohem Lärm umtobt: ›Zeige uns das Wunder! Du hast uns so gelehrt. Wo ist dein Wunder?‹«[17]

Es ist auch ihre eigene Tragik, die sie hier aussprach. Unerschütterlich war aber Rosa Luxemburgs Glaube an die Möglichkeiten, die in der Psyche der Massen verborgen seien. In einem Brief an Mathilde Wurm kommt dies besonders zum Ausdruck: ». . . Zumal die Psyche der Massen birgt stets in sich, wie die Thalatta, das ewige Meer, alle latenten Möglichkeiten: tödliche Windstille und brausenden Sturm, niedrigste Feigheit und wildesten Heroismus. Die Masse ist stets das, was sie nach Zeitumständen sein *muß*, und sie ist stets auf dem Sprunge, etwas total anderes zu werden, als sie scheint. Ein schöner Kapitän, der seinen Kurs nur nach dem momentanen Aussehen der Wasseroberfläche steuern und nicht verstehen würde, aus Zeichen am Himmel und in der Tiefe auf kommende Stürme zu schließen! Mein kleines Mädchen, die ›Enttäuschung über die Massen‹ ist stets das blamabelste Zeugnis für den politischen Führer...«[18]

Noch in dem einen Tag vor ihrem Tod, am 14. Januar 1919, in der »Roten Fahne« veröffentlichten Artikel »Ordnung herrscht in Berlin« unterstreicht sie die Bedeutung der Massen: »Die Massen sind das Entscheidende, sie sind der Fels, auf dem der Endsieg der Revolution errichtet wird.«[19] Dieses Verständnis der Massen bildete das Fundament für ihre eigene sozialistische Theorie, die im Gegensatz zu Lenins Auffassung vom elitären Charakter der Partei stand.

Rosa Luxemburg konnte bei aller Menschenliebe auch unerbittlich hassen und grausam gegenüber anderen sein. Karl Kautsky junior schreibt in einem Brief an Peter Nettl, die selbst durch ein Hüftleiden gehemmte Rosa Luxemburg habe dem teilweise gelähmten holländischen Sozialisten Anton Pannekoek »*absichtlich* einen Tritt in den Hintern« versetzt, »so daß er beinahe die Treppe hinabgestürzt wäre«.[20] Selbst wenn man annimmt, dies sei die etwas subjektive Darstellung eines Mannes, dessen Vater von Rosa Luxemburg publizistisch heftig attackiert worden war und der zudem von dem Rosa-Luxemburg-Biographen Peter Nettl recht einseitig und abschätzig charakterisiert wurde, so kann man doch nicht leugnen, daß Rosa Luxemburg immer wieder die Schwächen ihrer Gegner - und manchmal auch ihrer engsten Freunde - schonungslos und erbarmungslos bloßlegte. Rosa Luxemburg verglich sich selbst mit der sagenhaften Amazonenkönigin Penthesilea. So schrieb sie im Dezember 1916 aus der Festung Wronke (Provinz Posen) an Mathilde Wurm, die - wie ihr Gatte Emmanuel Wurm - erst dem linken Flügel der Sozialdemokratie und dann der Unabhängigen Sozialdemokratischen Partei Deutschlands (USPD) angehörte: »Ich sage Dir, sobald ich wieder die Nase hinausstecken kann, werde ich Eure Froschgesellschaft jagen und hetzen mit Trompetenschall, Peitschengeknall und Bluthunden - wie Penthesilea . . .«[21]

Für die führenden Köpfe der wenige Monate später gegründeten USPD, die, wie Hugo Haase und Wilhelm Dittmann, den Krieg leidenschaftlich bekämpften, hatte sie nur bitteren Spott übrig, und sie rechnete sie gleich anderen linken Sozialdemokraten zur »Froschgesellschaft«. Sie ging sogar so weit, den Grafen Westarp, der als Vorsitzender der deutschkonservativen Fraktion im Reichstag einen Siegfrieden mit Annexionen befürwortete und parlamentarische Reformvorschläge bekämpfte und der später für einige Jahre die scharf antirepublikanische Deutschnationale Volkspartei leitete, über die eindeutigen Kriegsgegner und sozialistischen Demokraten Haase, Dittmann und Kautsky zu stellen: »Dann schon lieber Graf Westarp, - und nicht deshalb, weil er von meinen ›mandelförmigen Samtaugen‹ im Reichstag redete, sondern weil er ein *Mann* ist.«[22] Rosa Luxemburg war keine blinde Anbeterin der Gewalt. Sie stand der Gewaltanwendung weitaus skeptischer gegenüber als etwa die

Anarchisten, die russische »Narodnaja-Wolja«-Bewegung und als Lenin. In einem Nachruf auf die Partei »Proletariat« bedauerte sie die »gedankenlose Apotheose der Gewalt« von seiten eines Parteiorgans.[23] Gleichzeitig beschwor sie aber - im Gegensatz zur großen Mehrheit der damaligen deutschen Sozialdemokratie und nicht nur des Revisionisten Eduard Bernstein - den Gedanken von der notwendigen Gewaltanwendung bei einem politischen Umsturz: »Zweifellos gibt sich kein Sozialist, Phantasten Bernsteinschen Schlages ausgenommen, der Illusion hin, daß irgendein ernst zu nehmender politischer Umsturz, und erst recht kein sozialistischer Umsturz, auf ›legalem‹ friedlichem Wege möglich ist, ohne Gebrauch von Gewalt zum Sturz der konterrevolutionären Mächte. Niemand wird auch verneinen, daß sich in revolutionären Zeiten die Notwendigkeit ergeben kann, einen gekrönten Kopf zu beseitigen, wie es bei Ludwig XVI. der Fall war, der als Hochverräter mit dem äußeren Feind des Landes konspirierte, dadurch zum Stützpunkt der konterrevolutionären Partei wurde und eine ernste Gefahr für das Schicksal der Revolution bildete . . .«[24]

Insbesondere bei der Diskussion über den Massenstreik - im Anschluß an die erste russische Revolution von 1905 - sprach sie sich für Gewaltanwendung aus. Auf dem Mannheimer Parteitag von 1906 verkündete sie: »Die Maschinengewehre werden umgedreht.«[25] Zahlreiche Delegierte - unter ihnen auch der Führer der Sozialdemokratie vor dem 1. Weltkrieg, August Bebel, - widersprachen ihr unter lebhaftem Beifall der Parteitagsmehrheit. Nun muß man Rosa Luxemburgs Plädoyer für eine beschränkte Gewaltanwendung sicherlich aus der damaligen Zeit heraus verstehen - man denke an das persönliche Regiment Wilhelms II., an das preußische Dreiklassenwahlrecht, an soziale Mißstände, an den damaligen Militarismus und an die waffenklirrende Großmachtpolitik des Deutschen Reiches nach außen hin. Dennoch hat sich ihr Gedanke von der gerechtfertigten Gewaltanwendung auch über den Zusammenbruch des Kaiserreiches hinweg gerettet. Er lebte auf im (von Rosa Luxemburg nicht gewünschten) kommunistischen Aufstand vom Januar 1919 gegen die Regierung Ebert/Scheidemann, und er lebt fort in den Köpfen vieler Anhänger der Neuen Linken. Es erscheint deshalb angebracht, Rosa Luxemburgs Gewalttheorie kritisch unter die

Lupe zu nehmen, wie dies selbst ein Bewunderer Rosa Luxemburgs, der Berliner Politologie-Ordinarius Ossip K. Flechtheim, tat:

»Rosa Luxemburgs Stellungnahme zu vielen Einzelfragen mag man heute für veraltet halten - ist nicht etwa gerade auch ihr Glaube an die positive Wirkung der Gewaltanwendung durch die Massen angesichts der jüngsten Entwicklung überholt? Angesichts der unheimlichen Perfektionierung und Maximierung der Gewalt, für die Auschwitz und Workuta, Hiroshima und Nagasaki als Symbole stehen mögen, erscheint jede Form von Krieg und Bürgerkrieg problematischer denn je. Andererseits haben inzwischen gewaltlose Massenaktionen gezeigt, welche großen Möglichkeiten in einer solchen Politik der gewaltfreien Aktion noch verborgen liegen. Ansätze zu einer Politik der Gewaltlosigkeit kann man sogar bei Rosa Luxemburg selber, etwa in ihrer Propagierung des Massenstreiks, entdecken. Leider hat sie diese Ansätze nicht weiter entwickelt, vor allem wohl aus zwei Gründen: Die typische kontinentaleuropäische Tradition der Glorifizierung der Gewalt als eines schöpferischen, befreienden Elements beherrschte seit Marx und Engels auch die Gedankenwelt des deutschen und russischen Sozialismus; vor allem schien aber die unvorstellbar blutige Gewaltsamkeit des Weltkriegs jeden Glauben an die Macht friedfertiger Aktionen zu widerlegen.«[26]

Rosa Luxemburg verfocht einen radikalen Internationalismus. Sie hatte keinerlei Verständnis für jüdische Organisationen oder gar zionistische Tendenzen. Mußte aber für eine Jüdin, die sich auf Grund ihres abstrakten Humanismus über die »speziellen Judenschmerzen« mokierte, nicht - in Anbetracht des wachsenden Antisemitismus in Deutschland, Rußland und vielen anderen Ländern - das bittere Wort eines Voltaire gelten, manche schwärmten für die Tartaren, weil sie kein Verständnis für ihre Nachbarn hätten? Man kann bei Rosa Luxemburg, ebenso wie bei Karl Marx, einige Züge eines jüdischen Selbsthasses entdecken. Hinzu kam noch der polnische Selbsthaß. In einer Zeit, da die Erinnerung an eine polnische Nation ausgelöscht werden sollte, verzehrte sie sich im Kampf gegen die nationalpolnischen Bestrebungen der Polnischen Sozialistischen Partei. Der Kampf gegen einen unabhängigen polnischen Staat nahm einen Großteil ihrer Zeit, ihrer Kraft und ihres politischen Temperamentes in Anspruch. Sie verstand nicht, daß soziale Benachteiligungen oftmals ihre Wurzeln in ethnischen Diskriminierungen hatten und daß deshalb das Engagement der Polnischen Sozialistischen Partei für ein unabhängiges Polen dem Protest der nicht nur kulturell, sondern vielfach auch sozial unterdrückten kleinen Nation entsprach - und so eine starke soziale Komponente besaß. Gewiß wünschte Rosa Luxemburg eine gewisse Autonomie für die Polen. Andererseits meinte sie aber, daß in einem zentralisierten demokratischen Staat, der sich mit der Autonomie einzelner Gebiete durchaus vertrage, alle wichtigen Zweige der Gesetzgebung, darunter auch über die Ehescheidung, dem zentralen Parlament vorbehalten bleiben müßten.[27] Man kann bei Rosa Luxemburg recht abfällige Bemerkungen über kleine Nationen entdecken. So schrieb sie 1918 in dem »Fragment über Krieg, nationale Frage und Revolution«: »Von allen Seiten melden sich Nationen und Natiönchen mit ihren Rechten auf Staatenbildung an. Vermoderte Leichen steigen aus hundertjährigen Gräbern, von neuem Lenztrieb erfüllt, und ›geschichtslose‹ Völker, die noch nie selbständige Staatswesen bildeten, verspüren einen heftigen Drang zur Staatenbildung. Polen, Ukrainer, Weißrussen, Litauer, Tschechen, Jugoslawen, zehn neue Nationen des Kaukasus ... Zionisten errichten schon ihr Palästina-Getto, vorläufig in Philadelphia ..., auf dem nationalistischen Blocksberg ist heute Walpurgisnacht.«[28] »Die Blutorgien Mannerheims [finnischer General und Politiker] ... zeigen, wieviel in der Gluthitze des letzten Jahres aufgesprossener Haß in den Busen all dieser ›kleinen Nationen‹, all der Polen, Litauer, Rumänen, Ukrainer, Tschechen, Kroaten usw. nur auf die Möglichkeit wartet, endlich selbst mit ›nationalen‹ Mitteln in den Eingeweiden des revolutionären Proletariats zu wühlen. Aus allen diesen ›jungen‹ Nationen, die wie Lämmer weiß und unschuldig auf die Grasweide der Weltgeschichte hüpfen, blickt schon der Karfunkelblick des grimmen Tigers, der auf eine ›Abrechnung‹ mit der ersten Regung des ›Bolschewismus‹ wartet.«[29]

Rosa Luxemburg teilt zwar das humanistische Ethos und Pathos mit vielen Reformkommunisten in Ost- und Südosteuropa. Aber angesichts ihrer Geringschätzung der kleinen Nationen erscheint äußerste Vorsicht gegenüber dem Versuch geboten, sie zur geistigen Stammutter all jener zu ernennen, die einen eigenen, von Moskau unabhängigen, nationalen Weg zum Sozialismus suchen.

Rosa Luxemburg und die deutsche Sozialdemokratie

Zur Lage der SPD um 1900

Die deutsche Sozialdemokratie, der Rosa Luxemburg 1898 beitrat, war damals keineswegs der leibhaftige Bürgerschreck, keine gewalttätige umstürzlerische Bewegung von verlumpten Existenzen - wie sich das wohl der Spießer vorstellen mag. Die qualifizierten Arbeiter, die den Ton innerhalb der SPD angaben, legten ebenso Wert auf bürgerliche Ehrenhaftigkeit wie auf saubere adrette Kleidung beim Besuch ihrer Parteiversammlungen. Ein ausgeprägtes Gefühl für Recht, Ordnung und Solidarität kennzeichnete den durchschnittlichen Sozialdemokraten. Sozialdemokratisch organisierte Arbeiter hatten in der Regel einen höheren Stand des Wissens als ihre nichtsozialdemokratischen Kollegen und zeichneten sich durch eine weitaus niedrigere Quote der Kriminalität aus. Viele verspürten einen Heißhunger nach schöngeistiger und naturwissenschaftlicher Literatur und verschlangen Werke von Emile Zola, Charles Darwin und Ernst Haeckel. Sie wahrten deutlich Distanz zum »Lumpenproletariat« - zu Arbeitsunwilligen, Parasiten und Asozialen. Mögen sie auch mit ihrer Partei, ihrer Gewerkschaft, ihrer Konsumgenossenschaft, ihren Arbeiterbildungs-, Sport-, Gesang- und Bestattungsvereinen eine von der Wiege bis zur Bahre integrierte Sondergesellschaft gebildet haben, so dachten doch nur wenige daran, die bestehende Gesellschaft aus den Angeln zu heben. Vielmehr wollten sie häufig in eigenen Standesorganisationen sich das aneignen und das nachvollziehen, wovon sie ausgeschlossen waren: bürgerliche Bildung, bürgerliche Geselligkeit, bürgerliche Pietät und auch bürgerliche Karriere. (Die Laufbahn eines Parteisekretärs glich in vielem der Laufbahn eines Beamten.)

Pseudorevolutionäre Gebetsmühlen für den sozialistischen Feiertag änderten nichts an dem friedfertigen Charakter der Partei. Diesen betonte der Parteivorsitzende August Bebel insbesondere in der prekären Phase zwischen der Ablehnung einer Verlängerung des Sozialistengesetzes durch den Reichstag Ende Januar bis zur endgültigen Aufhebung dieses zwölfjährigen Ausnahmegesetzes am 1. Oktober 1890. »Bis auf den heutigen Tag können sie der Sozialdemokratie gewaltsame, revolutionäre Bestrebungen, den geringsten Versuch, auf gewaltsamem, revolutionärem Wege ihre Ziele verwirklichen zu wollen, nicht nachweisen«, erklärte er am 9. Mai 1890 im Reichstag.[1]

Praktische Reformarbeit verdrängte bei vielen Sozialdemokraten die chiliastische Erwartung einer sozialistischen Zukunftsgesellschaft. Eine Elite der Arbeiterschaft eroberte sich Schritt für Schritt ihren Platz im öffentlichen Leben. Der Historiker Gerhard A. Ritter charakterisiert die SPD jener Zeit als eine Partei, »die sich bereits bis 1900 im wesentlichen zu einer praktischen Arbeiterpartei mit einigen nicht ernst genommenen revolutionären Phrasen ›durchgemausert‹ hatte.«[2]

Insbesondere drei Gruppen innerhalb der Sozialdemokratie strebten eine praktische Reformarbeit - unter Vernachlässigung marxistisch-sozialistischer Zielvorstellungen - an:

1. Die sozialdemokratischen Abgeordneten in den süd- und mitteldeutschen Landtagen.
2. Die sozialdemokratischen Gemeindevertreter und Kommunalpolitiker.
3. Die Arbeitersekretäre in den Gewerkschaften, welche bereits Fortschritte auf dem Gebiet des Tarifvertragswesens zu verzeichnen hatten.

Um die Jahrhundertwende saßen Sozialdemokraten in vielen Landtagen der Einzelstaaten. In Bayern, Baden, Württemberg, Hessen, Gotha und vorübergehend auch in Bremen konnten sie die Landespolitik beleben. In den drei süddeutschen Staaten Bayern, Württemberg und Baden fanden in den Jahren 1904/07 Auffassungen der Sozialdemokratie Zugang zu den neuen Wahlgesetzen.[3]

Man zählte 1904 innerhalb Badens 28 Gemeinderäte, drei Bürgermeister und über 800 Gemeindevertreter sozialdemokratischer Observanz und zur gleichen Zeit 112 SPD-Gemeinderäte und 127 sozialdemokratische Bürgerausschußmitglieder in Württemberg.[4]

In den norddeutschen Staaten nahm die Verfassungsentwicklung einen für die Sozialdemokraten ungünstigen Verlauf. 1903 beteiligte sich die SPD erstmals an der preußischen Landtagswahl und erhielt - wegen des geltenden Dreiklassenwahlrechtes - bei 18,79 Prozent der abgegebenen Stimmen kein einziges Mandat.[5] Alle Bemühungen, das preußische Wahlrecht zu ändern, scheiterten. In Sachsen, Braunschweig, Lübeck und Hamburg wurde durch Wahlrechtsänderungen der Einfluß der Arbeiterbewegung zurückgeschraubt.[6]

Bei der Reichstagswahl bestand zwar formal gleiches Wahlrecht. Aber die Stimmen aus den ländlichen Gebieten, die überwiegend für die Konservativen und das Zentrum abgegeben wurden, waren um ein Vielfaches »gleicher« als die sozialdemokratischen Stimmen in den großen Industriestädten. Denn die Wahlkreiseinteilung basierte noch auf der Bevölkerungszählung von 1867 und ignorierte völlig die gewaltige Bevölkerungsexplosion in den Industriegebieten. Zudem stellte die Sozialdemokratie - im Gegensatz zu anderen Parteien, die sich auf ihre Hochburgen oder doch auf Wahlkreise mit einer beträchtlichen Stimmenzahl konzentrierten - fast in allen, also auch in den aussichtslosesten Wahlkreisen Kandidaten auf. Bei der Stichwahl, die nach dem Prinzip des absoluten Mehrheitswahlrechtes notwendig war, vereinigten sich häufig die bürgerlichen und bäuerlichen Stimmen auf den aussichtsreichsten nichtsozialdemokratischen Kandidaten. So kam es, daß die Sozialdemokratie 1890 zwar 20 Prozent der Wählerstimmen, aber nur 8,8 Prozent der Sitze erhielt.

1893 standen 23,3 Prozent der Wählerstimmen 11,1 Prozent der Abgeordneten gegenüber; 1898 waren es 27,2 Prozent Wähler und 14,1 Prozent Abgeordnete; 1903 31,7 Prozent Wählerstimmen und 20,4 Prozent Abgeordnete, 1907 28,9 Prozent Wählerstimmen und 10,8 Prozent Abgeordnete. Erst 1912 wurde die SPD sowohl der Zahl der Wählerstimmen (34,8 Prozent) als auch der Sitzverteilung im Reichstag nach (27,7 Prozent) stärkste Partei.[7]

Wegen der unterschiedlichen Verfassungsentwicklung in Nord- und Süddeutschland gab es auch Unterschiede und Spannungen zwischen den Sozialdemokraten des Nordens und des Südens. Die norddeutschen Sozialdemokraten beargwöhnten ihre süddeutschen Genossen, die nicht nur für das Budget der Regierung stimmten, sondern sogar bei Hofe erschienen. Die bayerischen - das waren eben die königlich bayerischen Sozialdemokraten. Nicht nur Fragen der Taktik, sondern auch Prinzipienstreitigkeiten spielten eine Rolle. August Bebel wollte neben dem reformerischen Alltag noch den Feiertag revolutionärer Hoffnungen retten. Revisionisten wie Eduard Bernstein suchten hingegen Programmatik und reformerische Praxis in Übereinstimmung zu bringen. Neben Reformern und Revisionisten, neben der überwiegenden Mehrheit des marxistischen Zentrums mit der Sowohl-als-auch-Haltung gab es noch eine radikale junge Linke, die die parlamentarische Taktik bekämpfte und anarchistische Züge trug.

Als besonders schwer ansprechbar für die sozialdemokratische Wahlpropaganda erwies sich die polnische Bevölkerung innerhalb des Reiches. Deshalb war die Partei glücklich, mit Rosa Luxemburg eine Agitatorin gewonnen zu haben, die in gleicher Weise die polnische wie die deutsche Sprache beherrschte. Im Oktober 1898 vertrat sie bereits auf dem Stuttgarter Parteitag das oberschlesische Neustadt und Beuthen-Tarnowitz (Tarnowskie), und ein Jahr später wurde sie Delegierte für Ratibor und Reuß ältere Linie.[8] Auch auf den folgenden Parteitagen repräsentierte sie Gebiete mit einem hohen Anteil von polnischen Bewohnern.

Rosa Luxemburg gegen Georg von Vollmar

Rosa Luxemburgs schärfster Gegner auf dem Stuttgarter Parteitag vom Oktober 1898 war Georg von Vollmar, der Führer der bayerischen Sozialdemokratie. Vollmar wurde am 5. März 1850, also genau 21 Jahre vor Rosa Luxemburg geboren. Nach einer streng katholischen Erziehung trat er 1868 der Päpstlichen Garde in Rom bei, quittierte aber bereits im Dezember desselben Jahres den Dienst, da er sich weigerte, einen Hinrichtungsbefehl zu vollstrecken. Als bayerischer Offizier nahm er am Krieg von 1870/71 teil, in dem er eine schwere Verwundung erlitt. Wenig später verfocht er in der Sozialdemokratie eine extreme antiparlamentarische und revolutionäre Position, die ihm Gefängnisstrafen eintrug. Er galt als Schutzpatron der radikalen »Jungen« innerhalb der Partei. Als Führer der bayerischen Sozialdemokraten wandelte er sich aber nach 1889 im verhältnismäßig liberalen Klima seines Landes zum scharf profilierten Repräsentanten des reformistischen Flügels. Er trat für Kompromisse mit anderen politischen Gruppen und für ein stärkeres Engagement der Sozialdemokratie zugunsten der Bauern ein. Vollmar starb 1922.

Auf dem Stuttgarter Parteitag von 1898 attackierte Rosa Luxemburg heftig den Schöpfer der bayerischen Sozialdemokratie und schleuderte ihm den Satz entgegen: »Daß ich noch meine Epauletten in der deutschen Bewegung erst holen muß, weiß ich, ich will es aber auf dem linken Flügel tun, wo man mit dem Feinde kämpfen, und nicht auf dem rechten, wo man mit dem Feinde kompromisseln will.«[9]

Rosa Luxemburg gegen Bernstein

Rosa Luxemburgs bedeutendster ideologischer Gegner war Eduard Bernstein. Bernstein wurde am 6. Januar 1850 als Sohn eines Lokomotivführers in Berlin geboren. Nach der mittleren Reife arbeitete er bis 1878 - also bis zum Verbot der Sozialdemokratie auf Grund des Sozialistengesetzes - als Lehrling und anschließend als Angestellter im Bankgeschäft. Von 1879 bis 1888 lebte er in Zürich und von 1888 bis 1901 in London. In der Emigrationszeit war er zunächst als Privatsekretär, von 1881 bis 1890 als Redakteur des »Sozialdemokrat«, von 1890 bis 1899 als ständiger Mitarbeiter der Wochenschrift »Neue Zeit« und außerdem als Londoner Korrespondent der Parteizeitung »Vorwärts« tätig. 1901 kehrte er nach Berlin zurück, wo er von 1902 bis 1905 die Monatsschrift »Dokumente des Sozialismus« herausgab und wo er von 1901 bis 1914 für die »Sozialistischen Monatshefte» schrieb. Mehrmals gehörte er dem Reichstag an, so von 1902 bis 1906, von 1912 bis 1918 - zu einer Zeit, da er, nach vorübergehender Fraktionsdisziplin, als Pazifist englischer Prägung die Bewilligung der Kriegskredite ablehnte und sich deswegen für kurze Zeit der Unabhängigen Sozialdemokratischen Partei Deutschlands (USPD) anschloß - und schließlich in der Weimarer Republik von 1920 bis 1929.

Um die Wende vom 19. zum 20. Jahrhundert, als sich die Sozialdemokratie schon längst auf praktische Reformarbeit umgestellt hatte, versuchte Bernstein, zunächst in Aufsätzen, die in der Zeitschrift »Neue Zeit« veröffentlicht wurden, und dann auf Anregung Kautskys in seiner erstmals 1899 erschienenen Schrift »Die Voraussetzungen des Sozialismus und die Aufgaben der Sozialdemokratie«, die Diskrepanz zwischen reformerischer Praxis und revolutionärer Theorie zu überwinden. Bernstein bekannte sich zwar nach wie vor zur Marxschen Methode, lehnte jedoch den Marxismus als ein für allemal gültige Wissenschaft oder gar als Pseudoreligion ab. Sein Anliegen war es, den ökonomischen Sozialismus mit Hilfe der Philosophie Immanuel Kants zu einem ethischen Sozialismus zu sublimieren und auf die Punkte zu verweisen, wo ihm »die Marx-Engelssche-Doktrin hauptsächlich zu irren oder sich in Widersprüchen zu bewegen scheint«.[10] Insbesondere unterzog er die Marxsche Verelendungs- und Zusammenbruchstheorie einer eingehenden Kritik und verwies darauf, daß die »liberalen Einrichtungen der modernen Gesellschaft . . . biegsam, wandlungs- und entwicklungsfähig sind«. Deswegen sei anstatt revolutionärer Diktatur Organisation und energische Aktion notwendig.[11]

Bernstein plädierte also für eine konsequente Reformarbeit innerhalb des kapitalistischen Systems, für die fortlaufende Verminderung der Profitrate durch die Lohnrate und für einen schrittweisen Abbau des Kapitalismus durch gewerkschaftliche, genossenschaftliche und parlamentarische Arbeit. Er hatte sich - insbesondere in seiner englischen Exilzeit - zu einem überzeugten Anhänger des Parlamentarismus entwickelt. Sein Bekenntnis zur Demokratie war nachdrücklicher und überzeugender als das jedes anderen Sozialdemokraten seiner Zeit. So schrieb er von der Demokratie: »Die Demokratie ist Mittel und Zweck zugleich. Sie ist das Mittel der Erkämpfung des Sozialismus, und sie ist die Form der Verwirklichung des Sozialismus.«[12]

Bernstein sprach sich für den Kompromiß zwischen rivalisierenden sozialen Gruppen und Parteien als Lebenselement der Demokratie aus: »In der Demokratie lernen die Parteien und die hinter ihnen stehenden Klassen bald die Grenzen ihrer Macht kennen und sich jedesmal nur so viel vornehmen, als sie nach Lage der Umstände vernünftigerweise hoffen können, durchzusetzen. Selbst wenn sie ihre Forderungen etwas höher spannen, als im Ernst gemeint, um beim unvermeidlichen Kompromiß - und die Demokratie ist die Hochschule des Kompromisses - ablassen zu können, geschieht es mit Maß.«[13]

Als Entgegnung zu Eduard Bernstein erschien im April 1899 die Schrift »Sozialreform oder Revolution?« von Rosa Luxemburg. Bernsteins Vorschlag, durch die Sozialreform die kapitalistische Gesellschaft mit sozialistischen Elementen zu durchdringen, charakterisierte sie als den Versuch, »das Meer der kapitalistischen Bitternis durch flaschenweises Hinzufügen der sozialreformerischen Limonade in ein Meer sozialistischer Süßigkeit zu verwandeln«.[14] Rosa Luxemburg zeichnet sich bereits in dieser Jugendschrift als eine Stilistin von hohen Graden aus, deren Bilder zwar oft gewagt, aber niemals schief sind. Sie verfügt über eine an Swift erinnernde Ironie ebenso wie über die epigrammatische Kürze französischer und deutscher Moralisten der Aufklärung.

Ihre eigene Position zwischen dem revolutionären und dem reformerischen Maximalismus, eine Position, die Reform und Revolution in eine dialektische Beziehung zueinander bringt, verdeutlicht sie wie folgt: »Die gesetzliche Reform und die Revolution sind also nicht verschiedene Methoden des geschichtlichen Fortschritts, die man in dem Geschichtsbüfett nach Belieben wie heiße Würstchen oder kalte Würstchen auswählen kann, sondern verschiedene *Momente* in der Entwicklung der Klassengesellschaft, die einander ebenso bedingen und ergänzen, zugleich aber ausschließen, wie z. B. Südpol und Nordpol, wie Bourgeoisie und Proletariat.«[15]

Ihre Polemik gegen Bernstein ist geistreich: »Bernstein, der sich an die gesetzliche Reformarbeit machen will, um dem Kapitalismus auf diesem Wege ein Ende zu bereiten, gerät in die Lage jenes russischen Schutzmannes, der bei Uspienski [russischer Dichter] sein Abenteuer erzählt: ... ›Schnell packte ich den Kerl am Kragen, und was stellte sich heraus? Daß der verdammte Kerl keinen Kragen hatte!‹ ... Da liegt eben der Hase im Pfeffer.«[16] Oder Rosa Luxemburg spießt Bernstein dort auf, wo sie eine Leerformel von ihm entdeckt: »Da sind wir glücklich bei dem Prinzip der Gerechtigkeit angelangt, bei diesem alten, seit Jahrtausenden von allen Weltverbesserern in Ermangelung sicherer geschichtlicher Beförderungsmittel gerittenen

Renner, bei der klapprigen Rosinante, auf der alle Don Quichottes der Geschichte zur großen Weltreform hinausritten, um schließlich nichts andres heimzubringen als ein blaues Auge.«[17] Neben dieser inspirierten Polemik mit den literarischen Anspielungen kann sie aber auch die dicke Berta schamanenhafter Beschimpfung auffahren: »Die revisionistische Theorie im ganzen genommen läßt sich also folgendermaßen charakterisieren: es ist dies *eine Theorie der sozialistischen Versumpfung, vulgärökonomisch begründet durch eine Theorie der kapitalistischen Versumpfung.*«[18]

Auf jeden Fall verstand es Rosa Luxemburg ausgezeichnet, den Gegensatz zwischen Bernstein und ihr herauszuarbeiten. Die Revisionisten um Bernstein wollten, »daß der gewerkschaftliche und politische Kampf die kapitalistische Ausbeutung selbst stufenweise einschränken, der kapitalistischen Gesellschaft immer mehr ihren kapitalistischen Charakter nehmen und den sozialistischen aufprägen, mit einem Worte, die sozialistische Umwälzung *in objektivem* Sinne herbeiführen soll«.[19] Sie trachteten danach, »durch bloßen gewerkschaftlichen und politischen Kampf die sozialistische Ordnung einzuführen«.[20] Rosa Luxemburgs Freunde hingegen sahen »die sozialistische Bedeutung des gewerkschaftlichen und politischen Kampfes darin, daß er das Proletariat, das heißt den *subjektiven* Faktor der sozialistischen Umwälzung zu deren Durchführung vorbereitet«.[21] Durch den gewerkschaftlichen und politisch-parlamentarischen Kampf gelange das Proletariat »zu der Überzeugung von der Unmöglichkeit, seine Lage von Grund aus durch diesen Kampf umzugestalten, und von der Unvermeidlichkeit einer endgültigen Besitzergreifung der politischen Machtmittel«.[22]

Bernstein geriet mit seinen Ansichten in Isolation innerhalb der Partei. Bebel und andere Repräsentanten des marxistischen Zentrums waren der Überzeugung, daß die Arbeiterschaft die Strapazen beim Kampf um ihre Rechte nur dann aushalten könne, wenn man ihr neben dem reformerischen Alltag noch den Feiertag revolutionärer und chiliastischer Hoffnungen beließe. Gegen Bernsten wandten sich auch verschiedene Reformer, die sich einmal wenig um theoretische Fragen kümmerten und die zum anderen ihre Reformarbeit durch den Revisionismus diskreditiert wähnten. Auf dem Dresdener Parteitag der SPD von 1903 wurde in einer Resolution mit 188 gegen 11 Stimmen der »Revisionismus« verurteilt. Das bedeutete allerdings nicht, daß sich die Delegierten mit den Ansichten Rosa Luxemburgs identifizierten und Bernsteins Thesen in Bausch und Bogen ablehnten. Viele hielten es mit Ignaz Auer, der an Bernstein geschrieben hatte: »Mein lieber Ede, das, was Du verlangst, so etwas beschließt man nicht, so etwas sagt man nicht, so etwas tut man.«[23]

Bernsteins Gedanken haben später viele sozialdemokratische Programme, wie etwa das Görlitzer Programm von 1921 und insbesondere das Bad Godesberger Programm von 1959 durchdrungen.

Die Kontroverse Bernstein-Luxemburg fand um die Jahrhundertwende statt, da es in Preußen noch ein Dreiklassenwahlrecht gab und da im Reich zwar schon ein gewisses Maß an Konstitutionalismus und Rechtsstaatlichkeit, aber keine parlamentarische Demokratie und keine echte Chancengleichheit der konkurrierenden politischen Großgruppen, den politischen Willen zu bestimmen, bestand. Die Disputation müßte also inzwischen wegen der völlig veränderten Szenerie gegenstandslos geworden sein. Aber Thesen und Argumente sind manchmal zählebig. Der Gegensatz zwischen Bernstein und Rosa Luxemburg entspricht genau dem Gegensatz zwischen Sozialdemokraten und radikalen Sozialisten, wie er heute noch - in den Denkkategorien Bernsteins und Rosa Luxemburgs - ausgetragen wird.

Rosa Luxemburg und der Parlamentarismus

Es war eine geschichtliche Tragik, daß Rosa Luxemburg, eine der fähigsten Persönlichkeiten der Sozialdemokratie vor dem 1. Weltkrieg, wegen des fehlenden aktiven und passiven Frauenwahlrechtes ebenso wie Clara Zetkin - die nach einem Wort von Rosa Luxemburg neben ihr zu den beiden letzten Männern der SPD zählte - nicht in ein Parlament gewählt werden konnte. Ob die immer wiederkehrende nichtssagende Phrase vom »parlamentarischen Kretinismus in der Partei«[24] auch von einer Parlamentarierin Rosa Luxemburg noch so häufig gebraucht worden wäre?

Rosa Luxemburg hielt weitaus weniger vom Parlamentarismus als Eduard Bernstein und seine Anhänger; weniger als die Reformer und weniger als das marxistische Zentrum. In ihren Schriften findet man viele abfällige Bemerkungen über Parlamentarismus und parlamentarische Arbeit. Aber ihre Einstellung ist wegen ihrer dialektischen Position nicht leicht zu verstehen und erscheint mitunter widersprüchlich. Sie lehnte anarchistische und maximalistisch-revolutionäre Tendenzen, sich dem parlamentarischen Leben fernzuhalten, ab. Sie führte einen entschiedenen Kampf gegen das preußische Dreiklassenwahlrecht. An die Adresse der revolutionären Maximalisten sind ihre Mahnungen gerichtet:

»... aus der Tatsache, daß der bürgerliche Liberalismus vor Schreck vor der aufstrebenden Arbeiterbewegung und ihren Endzielen seine Seele ausgehaucht hat, folgt nur, daß die sozialistische Arbeiterbewegung eben heute die *einzige* Stütze der Demokratie ist und sein kann, und daß nicht die Schicksale der sozialistischen Bewegung an die bürgerliche Demokratie, sondern umgekehrt die Schicksale der demokratischen Entwicklung an die sozialistische Bewegung gebunden sind ... Daß, wer die Stärkung der Demokratie wünscht, auch Stärkung und nicht Schwächung der sozialistischen Bewegung wünschen muß, und daß mit dem Aufgeben der sozialistischen Bestrebungen ebenso die Arbeiterbewegung wie die Demokratie aufgegeben wird.«[25]

»Ist die Demokratie für die Bourgeoisie teils überflüssig, teils hinderlich geworden, so ist sie für die Arbeiterklasse dafür notwendig und unentbehrlich. Sie ist erstens notwendig, weil sie politische Formen (Selbstverwaltung, Wahlrecht und dergl.) schafft, die als Ansätze und Stützpunkte für das Proletariat bei seiner Umgestaltung der bürgerlichen Gesellschaft dienen werden. Sie ist aber zweitens unentbehrlich, weil nur in ihr, in dem Kampfe um die Demokratie, in der Ausübung ihrer Rechte das Proletariat zum Bewußtsein seiner Klasseninteressen und seiner geschichtlichen Aufgaben kommen kann. Mit einem Worte, die Demokratie ist unentbehrlich, nicht weil sie die Eroberung der politischen Macht durch das Proletariat *überflüssig*, sondern umgekehrt, weil sie diese Machtergreifung ebenso *notwendig*, wie auch einzig *möglich* macht.«[26]

Später kritisiert sie Lenin, weil er die konstituierende Versammlung, in der die Bolschewiki nur eine Minderheit bildeten, auseinandergejagt hatte. Rosa Luxemburg betrachtete das Parlament lediglich als eine Tribüne des Klassenkampfes und als ein Mittel zur Erziehung des Proletariats - einmal, um ihm die Unausweichlichkeit seiner Lage plausibel zu machen, und zum anderen, um es für die sozialistische Revolution zu schulen. Ansonsten hielt sie wenig vom parlamentarischen System. In dem Essay »Sozialreform oder Revolution?« sprach sie despektierlich vom »Hühnerstall des bürgerlichen Parlamentarismus«.[27] Die These des Bernstein-Anhängers Konrad Schmidt, die Erlangung einer sozialdemokratischen Mehrheit im Parlament sei der direkte Weg zur stufenweisen Sozialisierung der Gesellschaft, lehnte sie strikt ab: »Und der Parlamentarismus im ganzen erscheint nicht als ein unmittelbar sozialistisches Element, das die kapitalistische Gesellschaft allmählich durchtränkt, wie Bernstein annimmt, sondern umgekehrt als ein spezifisches Mittel des bürgerlichen Klassenstaates, die kapitalistischen Gegensätze zur Reife und zur Ausbildung zu bringen ... Diese Wand wird durch die Entwicklung der Sozialreformen wie der Demokratie nicht durchlöchert, sondern umgekehrt fester, starrer gemacht. Wodurch sie also niedergerissen werden kann, ist einzig der Hammerschlag der Revolution, d. h. *die Eroberung der politischen Macht durch das Proletariat.*«[28]

Nicht ganz 20 Jahre später - in dem Publikationsorgan des Spartakusbundes »Die Rote Fahne« -, am 20. November 1918, sprach sie sich für eine Räterepublik und gegen die Einberufung einer Nationalversammlung aus:

»Die von der Geschichte auf die Tagesordnung gestellte Frage lautet: Bürgerliche Demokratie oder sozialistische Demokratie? Denn Diktatur des Proletariats ist Demokratie im sozialistischen Sinne ... Der parlamentarische Kretinismus war gestern eine Schwäche, ist heute eine Zweideutigkeit, wird morgen ein Verrat am Sozialismus sein ...«[29]

Ihr Spartakusprogramm »Was will der Spartakusbund?« vom 14. Dezember 1918 stand im schroffen Gegensatz zu jeder Form des Parlamentarismus.

Nachdem der 1. Kongreß der Arbeiter- und Soldatenräte - wo die Anhänger Rosa Luxemburgs und Karl Liebknechts nur eine kleine Minderheit bildeten - sich für die Wahl einer Nationalversammlung ausgesprochen hatte, traten Rosa Luxemburg und die

Zentrale des Spartakusbundes für Wahlbeteiligung ein. Diese wurde jedoch auf dem Gründungsparteitag der KPD mit 62 zu 23 Stimmen abgelehnt.[30]

Die Lehre vom Massenstreik

Im Anschluß an den Ausbruch der ersten russischen Revolution von 1905 wurde Rosa Luxemburg, insbesondere mit ihrer Broschüre »Massenstreik, Partei und Gewerkschaften«, zur Propagandistin des Massenstreiks als sozialistisches Kampfmittel. Sie bewundert die russische Revolution, weil in ihr das »Element des Spontanen«, sowohl »als treibendes« als auch »als hemmendes Element« zu beobachten ist und weil diese Revolution der Sozialdemokratie »launig das Dirigentenstöckchen aus der Hand schlägt oder in die Hand drückt«.[31] In einem Jahr habe das russische Proletariat mehr gelernt als das deutsche Proletariat in 30 Jahren parlamentarischen und gewerkschaftlichen Kampfes.[32]

Rosa Luxemburg beanstandet die »Überschätzung und die falsche Einschätzung der Rolle der Organisation im Klassenkampf des Proletariats«; denn diese werde »gewöhnlich ergänzt durch die Geringschätzung der unorganisierten Proletariermasse und ihrer politischen Reife«.[33]

Der Massenstreik zeichne sich dadurch aus, daß er nicht aus einem »einzelnen Akt« bestehe, »sondern eine ganze Periode des Klassenkampfes«, also Jahre oder vielleicht sogar Jahrzehnte, umfasse und daß er nicht von einer Partei hervorgerufen werden könne.[34] Dieser Massenstreik, wie ihn bereits die russische Revolution gezeigt habe, sei *»die Bewegungsweise der proletarischen Masse, die Erscheinungsform des proletarischen Kampfes in der Revolution.«*[35] Ökonomischer und politischer Kampf seien nicht voneinander zu trennen.

Rosa Luxemburg bekennt sich zur geschichtlichen Dialektik. Sie sei »der Fels, auf dem die ganze Lehre des Marxschen Sozialismus beruht«.[36] Diese Dialektik verbindet das geschichtlich Notwendige mit der kämpferischen Aufgabe der proletarischen Partei und die Spontaneität mit der Notwendigkeit einer Organisation.

Sie bekennt sich zum Gesetz der Geschichte. Deshalb betont sie: ». . . nicht durch *subjektive Beurteilung* des Massenstreiks vom

Standpunkte des Wünschbaren, sondern durch *objektive Untersuchung* der Quellen des Massenstreiks vom Standpunkte des geschichtlich Notwendigen kann das Problem allein erfaßt und auch diskutiert werden.«[37]

Aber sie distanziert sich vom historischen Fatalismus ebenso wie vom Anarchismus - trotz ihrem Bekenntnis zur Spontaneität der Massen. So schreibt sie über die Rolle der Sozialdemokraten:

»Die Sozialdemokratie ist die aufgeklärteste, klassenbewußteste Vorhut des Proletariats. Sie kann und darf nicht mit verschränkten Armen fatalistisch auf den Eintritt der ›revolutionären Situation‹ warten, darauf warten, daß jene spontane Volksbewegung vom Himmel fällt. Im Gegenteil, sie muß, wie immer, der Entwicklung der Dinge *vorauseilen*, sie zu beschleunigen suchen. Dies vermag sie aber nicht dadurch, daß sie zur rechten und unrechten Zeit ins Blaue hinein plötzlich die ›Losung‹ zu einem Massenstreik ausgibt, sondern vor allem dadurch, daß sie den breitesten proletarischen Schichten den unvermeidlichen *Eintritt* dieser revolutionären Periode, die dazu führenden inneren *sozialen Momente* und die politischen Konsequenzen klarmacht.«[38]

An anderer Stelle betont Rosa Luxemburg, daß »die Leitung der Massenstreiks im Sinne des Kommandos über ihre Entstehung und im Sinne der Berechnung und Deckung ihrer Kosten Sache der revolutionären Periode selbst« sei und daß die Sozialdemokratische Partei sich nicht über die technische Seite, über den Mechanismus des Massenstreiks, den Kopf zerbrechen solle. Ihre Aufgabe sei es vielmehr, »die *politische* Leitung auch mitten in der Revolutionsperiode zu übernehmen.«[39]

Rosa Luxemburgs dialektische Kombination von Spontaneität, Revolution und historischer Notwendigkeit einerseits und der Rolle der Sozialdemokratischen Partei andererseits ist nicht immer leicht zu verstehen und erscheint manchmal widersprüchlich. Im Gegensatz zu manchen anderen Verlautbarungen über die Aufgabe der Sozialdemokratie erklärt sie auf dem Jenaer Parteitag von 1905: »Es ist eben eine ganz mechanische undialektische Auffassung, daß starke Organisationen dem Kampfe immer vorausgehen müssen. Die Organisation wird auch umgekehrt selbst im Kampf geboren, zusammen mit der Klassenaufklärung ...«[40]

Rosa Luxemburg hielt auch den bewaffneten Aufstand für eine gesteigerte Phase des Massenstreiks. Sie meinte allerdings, daß der Feind mit dem Blutvergießen anfangen und daß das Proletariat zunächst in der Abwehr des Angriffs zu den Waffen greifen werde.

1910, bei der Kampagne der Sozialdemokratie gegen die Wahlrechtsvorlage der preußischen Regierung (die eine Modifizierung, aber keine Abschaffung des Dreiklassenwahlrechts vorsah), gab Rosa Luxemburg wiederum die Parole vom Massenstreik aus. So erklärte sie auf dem Magdeburger Parteitag von 1910: »Für uns im preußischen Wahlrechtskampf ergibt sich die Losung des Massenstreiks aus der einfachen Tatsache, daß das Proletariat einzig und allein auf sich, auf seine eigene Kraft angewiesen ist, um diesem Kampfe zum Siege zu verhelfen ...«[41] Damit distanzierte sie sich auch von Wahlbündnissen ihrer Partei mit bürgerlichen Parteien.

Die Sozialdemokratie aber folgte auch diesmal nicht ihren Parolen vom Massenstreik.

Rosa Luxemburg und die Gewerkschaften

Rosa Luxemburg teilte mit Lenin eine gewisse Geringschätzung der Gewerkschaften und der gewerkschaftlichen Arbeit. In ihrer gegen Bernstein gerichteten Schrift »Sozialreform oder Revolution?« erklärte sie, die Gewerkschaften seien nichts »als die organisierte *Defensive* der Arbeitskraft gegen die Angriffe des Profits, als die Abwehr der Arbeiterklasse gegen die herabdrückende Tendenz der kapitalistischen Wirtschaft«.[42] Die Rolle der Gewerkschaften beschränke sich darauf, den Arbeitern zu der ihnen nach dem Gesetz der kapitalistischen Ökonomie zustehenden Lohnrate zu verhelfen. Dies verglich sie mit einer Sisyphusarbeit:

»In beiden wirtschaftlichen Hauptfunktionen verwandelt sich also der gewerkschaftliche Kampf kraft objektiver Vorgänge in der kapitalistischen Gesellschaft in eine Art Sisyphusarbeit. Diese Sisyphusarbeit ist allerdings unentbehrlich, soll der Arbeiter überhaupt zu der ihm nach der jeweiligen Marktlage zufallenden Lohnrate kommen, soll das kapitalistische Lohngesetz verwirklicht und die herabdrückende Tendenz der wirtschaftlichen Entwicklung in ihrer Wirkung paralysiert, oder genauer, abgeschwächt werden.«[43]

Das böse Wort von der »Sisyphusarbeit« schlug bei den Gewerkschaften wie eine Bombe ein. Die Gewerkschaftsführer fühlten sich beleidigt und betrachteten fortan Rosa Luxemburg als ihre Gegnerin oder gar als ihre Feindin.

In der Schrift »Massenstreik, Partei und Gewerkschaften« sprach sie verächtlich von »der Psychologie eines Gewerkschaftlers, der sich auf keine Arbeitsruhe bei der Maifeier einläßt, bevor ihm eine genau bestimmte Unterstützung für den Fall seiner Maßregelung im voraus zugesichert wird . . .«[44] Mit solchen Gewerkschaftlern, die sich zu keiner heroischen Haltung aufschwingen könnten, ließen sich »weder Revolution noch Massenstreik machen.«[45]

Rosa Luxemburg kritisierte das »chinesische Mandarinentum« innerhalb der Gewerkschaften.[46] Die Arbeiter würden - so meinte sie - »zur urteilsunfähigen Masse degradiert, der hauptsächlich die Tugend der ›Disziplin‹, das heißt des passiven Gehorsams zur Pflicht gemacht wird«.[47] In der Zukunft solle aber die Masse »der handelnde Chorus« sein, die Leitungen hingegen nur als »die Dolmetscher des Massenwillens« fungieren.[48]

Zu jener Zeit hatten sich die sozialistischen Gewerkschaften mit ihren 1¼ Millionen Mitgliedern schon weitgehend von der Partei mit nicht ganz einer halben Million organisierter Mitglieder emanzipiert. Rosa Luxemburg wandte sich nachdrücklich gegen diese Verselbständigung.

Ökonomischer und politischer Kampf könnten nicht voneinander getrennt werden. Der Kampf der Partei stehe über dem der Gewerkschaften: »Der gewerkschaftliche Kampf umfaßt die Gegenwartsinteressen, der sozialdemokratische Kampf die Zukunftsinteressen der Arbeiterbewegung.«[49] Deshalb dürften sich die Gewerkschaften nur als ein Teil der Sozialdemokratie begreifen und müßten sich dieser unterordnen.

Insbesondere Otto Hué, der Bergarbeiterführer, zählte zu den erbittersten Gegnern Rosa Luxemburgs und griff diese in seinem Verbandsblatt persönlich an. Nicht selten auch klang in den Angriffen von Gewerkschaftlern das Ressentiment des Handarbeiters gegen die Akademikerin durch. Dieses Ressentiment nährte Rosa Luxemburg freilich dadurch, daß sie den Männern der Arbeit Ratschläge erteilte, ohne dabei immer den Takt zu wahren, der einem Repräsentanten höherer Bildung gegenüber Menschen einfacher Herkunft und einfacher Bildung ansteht.

Rosa Luxemburg und August Bebel

Mit August Bebel (1840—1913), dem ersten Vorsitzenden der Sozialdemokraten, stand Rosa Luxemburg anfangs auf freundschaftlichem Fuße. Die Sympathien beruhten auf Gegenseitigkeit. Beide - Bebel und Rosa - waren manchmal zu Scherzen und Streichen aufgelegt; mancher Schabernack ging auf seine Kosten. So steckte sie ihm Ende September 1901, als sie beide am Lübecker Parteitag teilnahmen, in die vor seinem Hotelzimmer stehenden Stiefel einen Zettel, worauf er die scherzhaft-berlinische Liebeserklärung der einunddreißig Jahre jüngeren Genossin von akademischer Bildung lesen konnte: »Aujust, ick liebe Dir«.[50]

Wenn Rosa Luxemburg, die wegen ihres kompromißlosen Wesens manche Anstellung als Redakteurin von Parteizeitungen schon nach kurzer Zeit aufkündigte, ältere Genossen gar zu sehr herausforderte, dann bemerkte Bebel oft versöhnlich und nachsichtig: »Laßt mir nur die Rosa in Ruhe, wir können solchen Hecht im Karpfenteich nur zu gut gebrauchen.«[51]

Beim Kampf gegen Revisionismus und Reformismus standen Bebel und Rosa Luxemburg noch in einer Reihe. Anders war es auf dem Jenaer Parteitag von 1905. Rosa Luxemburg wollte den Massenstreik als offensives Kampfmittel des deutschen Proletariats verstanden wissen. August Bebel und die Mehrheit des Parteitages sahen hingegen im Massenstreik nur eine Verteidigungswaffe für den Eventualfall, daß das Reichstagswahlrecht oder die Koalitionsfreiheit eingeschränkt werden könnten. Rosa Luxemburg und die radikale Linke stimmten zwar für die Bebelsche Resolution; andererseits bezeichnete Rosa Luxemburg in einem Schreiben an die holländische Sozialistin Henriette Roland Holst-van der Schalk diese Resolution als »sehr einseitig und flach«. Nur die Furcht vor dem Opportunismus habe die äußerste Linke gezwungen, mit Bebel zusammenzugehen.[52]

In den folgenden Jahren, in denen sich neben Reformisten und dem marxistischen Zentrum die radikale Linke als dritte Gruppe innerhalb der Partei immer mehr herauskristallisierte, verschärfte sich der Gegensatz zwischen Bebel und Rosa Luxemburg sowohl politisch als auch persönlich. Sie reizte ihn häufig durch unbedachte Äußerungen. So erklärte sie einmal, ihn herausfordernd, der Grabstein für sie und Clara Zetkin müsse die Inschrift tragen: »Hier ruhen die beiden letzten Männer der deutschen Sozialdemokratie.«[53]

Immer wieder versuchte Bebel unter Einsatz des Charmes, über den er verfügte, sie für seine Sache zurückzugewinnen - aber vergeblich. Auf dem Parteitag von 1911 attackierte sie ihn heftig, warf ihm Unterstützung durch die Reformer aus Süddeutschland vor und erntete große Unruhe, Lachen und Zischen - Reaktionen, die sonst unter Genossen kaum üblich waren.[54] In diesem Jahr, zwei Jahre vor Bebels Tod, war der Bruch zwischen ihr und dem Führer der Sozialdemokratie perfekt und unheilbar.

Rosa Luxemburg und Karl Kautsky

Am schmerzhaftesten war der Riß zwischen Karl Kautsky und Rosa Luxemburg: Eine langjährige persönliche Freundschaft zerbrach unter den Aufwallungen politischer Auseinandersetzungen.

Karl Kautsky galt lange Zeit innerhalb seiner Partei als Gralshüter der marxistischen Lehre. Der 1854 als Sohn eines tschechischen Malers und einer deutschen Schauspielerin Geborene versuchte sich zunächst als Bildender Künstler, Romancier und Bühnenautor. In den Jahren 1876 bis 1881 lernte er nacheinander August Bebel, Wilhelm Liebknecht, Eduard Bernstein, Karl Marx und Friedrich Engels kennen. Engels, W. Liebknecht und Bebel unterstützten ihn bei der Herausgabe der Zeitschrift »Die Neue Zeit«, die innerhalb der Sozialistischen Internationale den Ruf als bedeutendstes Organ marxistischer Theorie genoß.[55] Aus dem Londoner Exil nach der Aufhebung des Sozialistengesetzes zurückgekehrt, verfaßte Kautsky den Grundsatzteil zum sozialdemokratischen Erfurter Programm von 1891. Karl Kautsky, der 1905 bis 1910 aus Karl Marx' nachgelassenen Schriften vier Bände »Theorien über den Mehrwert« herausgab, hatte großen Anteil an der Verbreitung und Popularisierung der Marxschen Lehre und an ihrer Erhebung zum Rang einer sozialdemokratischen Integrationsideologie. Während des 1. Weltkrieges schloß er sich als entschiedener Kriegsgegner der Unabhängigen Sozialdemokratischen Partei Deutschlands (USPD) an. Andererseits geriet er in scharfen Gegensatz zu Lenin, der ihn insbesondere in der Schrift »Die proletarische Revolution und der Renegat Kautsky« heftig angriff. Kautsky starb am 17. Oktober 1938 in Amsterdam, kurz nachdem er aus Österreich emigriert war. Seine Frau Luise wurde nach Vollendung ihres 80. Lebensjahres ins Konzentrationslager Auschwitz verschleppt und ging dort zugrunde.

Am 5. März 1896, an ihrem 25. Geburtstag, sandte die Zürcher Studentin Rosa Luxemburg erstmals einen Artikel - und zwar »über die nationalistischen Strömungen in der polnischen sozialistischen Bewegung« - an »Die Neue Zeit«, also an Kautsky.[56] Ein wenig murrend fügte sie sich dessen Wunsch, den Artikel zu straffen. Karl Kautsky vertrat in dem Artikel »Finis Poloniae?« (Polens Ende?) im Gegensatz zu Rosa Luxemburg die Überzeugung, daß die Forderung nach Unabhängigkeit Polens gegen den zaristischen Absolutismus gerichtet sei und deshalb dem Siege der russischen Revolution diene.[57]

Im Jahre 1899, als Rosa Luxemburg nach Berlin umsiedelte, entwickelte sich rasch eine tiefe persönliche Freundschaft zwischen ihr und der Familie Kautsky. Sie wohnte in derselben Straße wie diese und besuchte sie fast jeden Tag. Rosas Freundin Luise Kautsky schildert die häusliche Idylle:

»Mit dem pater familias trieb sie Politik, mit mir trieb sie alles, was das Leben verschönt, mit den drei Jungens trieb sie die tollste Allotria, und mit unserem braven Hausgeist Zenzi trieb sie ganz ehrpusselig hausfraulich die - Kochkunst, wobei sie sogar hie und da - eine Schürze nicht verschmähte. Denn ihre Vielseitigkeit war ebenso staunenswert, wie ihre geistige Elastizität und Schlagfertigkeit und die Gabe, sich momentan jedem Menschen und jeder Situation anzupassen. Hatte sie soeben noch die schwierigsten theoretischen Probleme mit Kautsky tiefgründig erörtert, so tollte sie gleich darauf mit den Jungens wie ein ausgelassenes Schulmädchen, oder sie saß und zeichnete mit unserem zweiten Sohn um die Wette, war sie doch für Zeichnen und Malen ganz außerordentlich begabt, wofür sich mancher Beleg in den Briefen findet - oder sie erschien im

Küchendepartement und hörte mit der ernsthaftesten Miene der Welt Zenzis in breiter schwäbischer Mundart vorgetragenen Kochweisheit zu, wobei sie selbst verschämt andeutete, daß auch ihr lukullische Geheimnisse nicht fremd seien, und uns stets von einem legendären ›Husarenbraten‹ vorschwärmte, den sie unvergleichlich zu bereiten verstünde. Weihnachten ohne Rosa wäre undenkbar gewesen, und es war ein Vergnügen, zu sehen, mit welchem Eifer und welcher Hingabe sie mit den Kindern, besonders mit dem Kleinsten, damals etwa sechsjährigen Bendel, spielte.«[58]

In dieser Zeit war, wie Rosa Luxemburgs Freundin Henriette Roland Holst-van der Schalk zu beobachten glaubte, »Karl Kautsky sicherlich dem Einfluß von Rosas außergewöhnlichem Geist und ihrer stimulierenden Persönlichkeit erlegen«. Insbesondere in der politischen Schrift »Weg zur Macht« habe dies seinen Niederschlag gefunden.[59] Von gewissen Spannungen zwischen Karl Kautsky und Rosa Luxemburg aus der Zeit um 1906 weiß Luise Kautsky zu berichten.[60] Auch Leo Trotzki bemerkt in seiner Selbstbiographie »Mein Leben«, daß bald nach der russischen Revolution von 1905 »die ersten Anzeichen der Abkühlung in ihren Beziehungen« auftauchten und daß sie manchmal »in grimmigem Streit« miteinander lagen.[61] Die Meinungsverschiedenheiten entzündeten sich an der unterschiedlichen Bewertung des Massenstreiks. Rosa Luxemburg wollte die Methoden der ersten russischen Revolution auf Deutschland übertragen. Kautsky bewunderte zwar den Massenstreik in Rußland, hielt ihn aber als revolutionäres Kampfmittel in Mittel- und Westeuropa für »gefährlich und überflüssig«. Gefährlich sei er, weil er die Reaktion zu Repressalien und Blutvergießen herausfordern könnte, überflüssig sei er, weil sich die Arbeiterschaft an den Wahlen zum Reichstag beteilige.

Die Meinungsverschiedenheiten hatten ihr Fundament in unterschiedlichen philosophischen und ideologischen Überzeugungen. Kautsky hatte sich, ebenso wie der späte Engels, unter dem Einfluß von Charles Darwin und Ernst Haeckel zum Anhänger eines evolutionären Positivismus entwickelt. Der Zusammenbruch des Kapitalismus war für ihn ein unvermeidliches und nicht zu steuerndes Naturgesetz. Deswegen neigte Kautsky zu einem gewissen Quietismus und Fatalismus. Das aktivistische und voluntaristische Moment war bei ihm schwächer als bei Marx. Rosa Luxemburg versuchte hingegen den dialektischen Brückenschlag zwischen der historischen Notwendigkeit einer Revolution und den subjektiven Anstrengungen des Proletariats. Sie, die sich zu dem Ausspruch des Faust »Im Anfang war die Tat« bekannte, betonte das voluntaristische Moment stärker als Marx. Hinzu kam, daß Kautsky zwar die von Bernstein geforderte Befreiung der Staatstheorie und der Ethik vom strengen Marxismus verwarf, aber doch gleich ihm - in etwas schwächerer Weise - die parlamentarische Regierungsform, die er in England kennengelernt hatte, schätzte.

Karl Kautsky, der weitaus hochherziger war, als vielfach angenommen wird, bewahrte trotz der Meinungsverschiedenheiten seine Hochachtung vor Rosa Luxemburg und schlug sie deshalb im Herbst 1907 als Nationalökonomie-Dozentin für die Berliner Parteihochschule vor. Sie wurde anstelle Rudolf Hilferdings, den die preußische Regierung als Österreicher ausgewiesen hatte, ernannt.[62]

1910 schieden sich Kautsky und Rosa Luxemburg an der Frage des Wahlrechtskampfes. Sie wollte die Kampagne gegen das Dreiklassenwahlrecht zur Revolution führen. Karl Kautsky nahm insbesondere in dem Artikel »Was nun« der »Neuen Zeit« vom 8. April 1910 gegen die Massenstreiktheorie Stellung. Er postulierte die »Ermattungsstrategie« anstelle der »Niederwerfungsstrategie« und zeigte damit, daß er den Reformern näher stand als den Linksradikalen.

In Rosa Luxemburgs Briefen dieser Zeit, die sie an Luise Kautsky richtete, fehlte es nicht an Seitenhieben gegen Karl Kautsky. Am 22. Juni 1909 bezeichnete sie ihn als Großinquisitor[63], während sie sich am 13. April 1910 abfällig über einen Artikel äußerte und die Verschleppung der Veröffentlichung ihrer Entgegnung rügte: »Der Artikel von Karl ruft Achselzucken hervor, namentlich habe ich das gesehen in Kiel, in Bremen, in Dortmund, in Solingen bei Dittmann. Was das Lustigste ist, Klara schreibt mir, daß der Landessekretär W a s n e r (!) in einer Versammlung öffentlich seine Verwunderung über Karls Auftreten scharf ausgedrückt hat. Übrigens wußte ich gleich, daß ich die Korrektur nicht kriege, Karl will mir die Antwort, so lang es geht, unmöglich machen ...«[64]

Rosa Luxemburg entschloß sich, der politischen Differenzen wegen, Kautskys Wohnung in der Berliner Saarstraße zu meiden. Lulu

Kautsky bedauerte dies in einem Brief. Darauf entgegnete ihr Rosa Luxemburg: »Liebste Lulu! Was immer Du für recht hältst, wird mir auch recht sein. Daß ich zu Dir stets gleich stehe, weißt Du. Aber daß Du Dich so miserabel fühlst, tut mir weh. Du hast ja gar keinen Grund, Du darfst, Du sollst nicht schwarzsehen. Nimm alles ruhig hin, bewahre Dir doch Deine Heiterkeit! Daß ich Dich diesmal nicht trösten und nicht heiter machen darf, ist mir das Schlimmste von Allem. Leb wohl und sei fröhlich - Deine Rosa.«[65]

Im Juli 1914 fochten Rosa Luxemburg, Karl Kautsky und der Menschewist Axelrod noch einmal Seite an Seite für die Einigung der russischen Sozialdemokratie. Während des 1. Weltkrieges wurden die Beziehungen zwischen Rosa Luxemburg und Kautsky geradezu feindselig. Kautsky lehnte zwar die offizielle Politik der SPD in der Frage der Kriegskredite ab und schloß sich deshalb 1917 den Unabhängigen Sozialdemokraten an. Doch war er im Gegensatz zu Rosa Luxemburg der Meinung, daß das Proletariat, welches sich als zu schwach erwiesen habe, einen Krieg zu verhindern, erst recht nicht imstande sei, den Kriegsausbruch mit einem Umsturz zu beantworten.

Rosa Luxemburg und Karl Kautsky vermieden es nach Möglichkeit, einander zu begegnen, ja sogar miteinander zu korrespondieren. Bezeichnend dafür ist die Tatsache, daß sie am 17. 12. 1915 im Gefängnis dem herzlichen Schreiben an die »Geliebte Lulu!« einen Brief für den »Pater Familias«, also für Karl Kautsky, beilegte, der ganz förmlich gehalten war: »An die Redaktion der ›Neuen Zeit‹. W. G.! [Werter Genosse] . . .« Kautsky überließ es seinem Kollegen Wurm, ihr zu antworten und ihr das angebotene Manuskript zurückzusenden.[66]

Nach dem Ausbruch der russischen Oktoberrevolution schrieb Rosa Luxemburg an Luise Kautsky - mit Seitenhieben gegen ihren Mann und mit Beschimpfungen gegen die Sozialdemokratie: ». . . Freust Du Dich über die Russen? Natürlich werden sie sich in diesem Hexensabbath nicht halten können, - nicht weil die Statistik eine zu rückständige ökonomische Entwicklung in Rußland aufweist, wie Dein gescheiter Gatte ausgerechnet hat, sondern, weil die Sozialdemokratie in dem hochentwickelten Westen aus hundsjämmerlichen Feiglingen besteht und die Russen, ruhig zusehend, sich wird verbluten lassen . . .«[67]

Kautsky galt für Rosa Luxemburg fortan als »Verräter, Sozialpatriot, Scheidemannianer, Renegat«, und sie attackierte ihn in fast jedem Spartakusbrief.[68]

In ihrer bekannten Schrift über die russische Revolution greift sie Kautsky weitaus heftiger an als Lenin und häufiger als den Mehrheitssozialdemokraten Philipp Scheidemann. Sarkastisch bezeichnet sie Kautsky als »Tempelwächter des Marxismus«, der »theoretisch dasselbe« betreibe, »was die Scheidemänner praktisch« verrichten und der in den vier Kriegsjahren eine Arbeit hinterlassen habe, »aus der der Sozialismus wie ein Sieb ohne eine heile Stelle hervorgeht«.[69] Die Freundschaft mit »Lulu« Kautsky überdauerte die heftigen Kontroversen mit ihrem Mann. Ihr letzter Brief vom 25. Juli 1918 schloß: »Leb wohl, Liebste, sei mir gut und heiter. Ich umarme Dich vielmals - Deine R.«[70] Doch in den turbulenten acht Wochen zwischen der Entlassung aus dem Gefängnis und Rosa Luxemburgs gewaltsamem Tod hielt sich Luise Kautsky von ihrer Freundin fern, da ihr »Rosas und vor allem Karl Liebknechts Wirken, mit dem sie nach außen hin sich identifizierte, so unendlich verhängnisvoll erschien ...«[71]

Nach ihrem Tode zeichnete sie aber im Vorwort der Edition von Rosa Luxemburgs »Briefen an Karl und Luise Kautsky« ein liebevolles Porträt ihrer Freundin, dic zugleich eine so scharfe politische Gegnerin ihres Mannes gewesen war. Auch Karl Kautsky selbst wahrte ihr ein unverbittertes Gedenken.

Rosa Luxemburgs Analyse des Kapitalismus

Rosa Luxemburgs erstmals 1913 erschienenes Hauptwerk »Die Akkumulation des Kapitals« kann zu den bedeutendsten Beiträgen auf dem Gebiet der marxistischen Theorie gezählt werden. Die Autorin ergänzte und erweiterte darin die Marxsche Lehre von der Kapitalakkumulation. Karl Marx hatte im 1. Band des »Kapital« folgendes Gesetz des Kapitalismus umrissen: Geld wird in Kapital verwandelt, durch Kapital wird Mehrwert (etwa Profit) und durch Mehrwert immer mehr Kapital erzeugt. Diese ständige Wiederholung und Erneuerung des Produktionsprozesses, »Reproduktion« genannt, ermögliche die ständige Anhäufung gleich »Akkumulation« des Kapitals. Rosa Luxemburg bemängelte, »daß Marx den Prozeß der Akkumulation in einer ausschließlich aus Kapitalisten und Arbeitern bestehenden Gesellschaft darstellen wollte, unter allgemeiner und ausschließlicher Herrschaft der kapitalistischen Produktionsweise«.[72] Marx berücksichtigte Rosa Luxemburg zufolge nicht, daß die natürliche Fortpflanzung der Arbeiterklasse nicht dem Bedürfnis des Kapitals nach Vermehrung der vorhandenen Arbeitskräfte genüge. Der Kapitalismus benötige die Arbeitskräfte des gesamten Erdballs ebenso wie die Naturschätze aller Erdteile. »Er braucht nichtkapitalistische soziale Schichten als Absatzmarkt für seinen Mehrwert, als Bezugsquellen seiner Produktionsmittel und als Reservoirs der Arbeitskräfte für sein Lohnsystem.«[73]

Der Kapitalismus mit seiner sprunghaften Ausdehnungsfähigkeit könne nicht auf die langsame Zersetzung nichtkapitalistischer Produktionsformen und auf ihren Übergang zur Warenwirtschaft warten. Vielmehr müsse er die vorkapitalistischen Wirtschaftsformen mit Gewalt zerstören. Die primitiven Gesellschaften würden sich in einem Kampf um Sein oder Nichtsein bis zur völligen Erschöpfung wehren. Die imperialistische Phase, diese letzte Phase des Kapitalismus, zeichne sich durch »Weltkonkurrenz des Kapitals« und durch die »kapitalistische Emanzipation der früheren Hinterländer des Kapitals« aus. Zu den »spezifischen Operationsmethoden dieser Phase« zählt Rosa Luxemburg »auswärtige Anleihen, Eisenbahnbauten, Revolutionen und Kriege«.[74] So könnten zwei verschiedene Seiten der kapitalistischen Akkumulation beobachtet werden: »Die eine vollzieht sich in der Produktionsstätte des Mehrwerts - in der Fabrik, im Bergwerk, auf dem landwirtschaftlichen Gut - und auf dem Warenmarkt. Die Akkumulation ist, von dieser Seite allein betrachtet, ein rein ökonomischer Prozeß, dessen wichtigste Phase zwischen dem Kapitalisten und dem Lohnarbeiter sich abspielt, der sich aber in beiden Phasen: im Fabrikraum wie auf dem Markt ausschließlich in den Schranken des Warenaustausches, des Austausches von Aequivalenten bewegt. Friede, Eigentum und Gleichheit herrschen hier als Form, und es bedurfte der scharfen Dialektik einer wissenschaftlichen Analyse, um zu enthüllen, wie bei der Akkumulation Eigentumsrecht in Aneignung fremden Eigentums, Warenaustausch in Ausbeutung,

Gleichheit in Klassenherrschaft umschlagen. Die andere Seite der Kapitalakkumulation vollzieht sich zwischen dem Kapital und nichtkapitalistischen Produktionsformen. Ihr Schauplatz ist die Weltbühne. Hier herrschen als Methoden Kolonialpolitik, internationales Anleihesystem, Politik der Interessensphären, Kriege. Hier treten ganz unverhüllt und offen Gewalt, Betrug, Bedrückung, Plünderung zutage, und es kostet Mühe, unter diesem Wust der politischen Gewaltakte und Kraftproben die strengen Gesetze des ökonomischen Prozesses aufzufinden.«[75]

Rosa Luxemburgs Buch wurde von mehreren Seiten heftig kritisiert. Viele verübelten es ihr, daß sie Marx korrigiert hatte. Von seiten des marxistischen Zentrums nahm Karl Kautsky gegen sie Stellung; aber auch auf dem linksradikalen Flügel der internationalen Sozialdemokratie war der Beifall nicht ungeteilt. Karl Radek, der Ende 1918 im Namen der Bolschewiki den Gründungsparteitag der KPD begrüßte und der später in einem bolschewistischen Gefängnis starb, lobte zwar die »scharf durchdachte originelle Theorie des Imperialismus«, wies aber gleichzeitig darauf hin, daß Rosa Luxemburgs Buch »nicht einheitlichen Empfang unter den Theoretikern der Linksradikalen« fand.[76] Er nannte von den Kritikern den holländischen Linkssozialisten Anton Pannekoek.[77]

Zu den Gegnern des Werkes über »Die Akkumulation des Kapitals« zählte auch Lenin, der der Autorin vorwarf, sie habe die Probleme von Kapitalismus und Imperialismus von den Heimatländern in die Kolonien verpflanzt. Fred Oelßner hebt zwar in der zuletzt 1956 in Ost-Berlin verlegten kritischen biographischen Skizze über Rosa Luxemburg die »meisterhafte Schilderung der kapitalistischen Kolonialpolitik« lobend hervor[78], bezeichnet aber andererseits ihre Akkumulationstheorie als »völlig unhaltbar»[79] und wirft ihr vor, ihr Mißverstehen der Reproduktionstheorie bei Marx habe sie »daran gehindert, das Wesen der neuen Etappe der kapitalistischen Entwicklung - des Imperialismus - zu erfassen«.[80]

Andererseits wird »Die Akkumulation des Kapitals« von zahlreichen unorthodoxen Marxisten als ein schöpferischer Beitrag zur Fortentwicklung der Marxschen Theorie angesehen.

Man entdeckt in Rosa Luxemburgs Briefen auch hier und da eine respektlose Äußerung über Karl Marx. So erklärt sie etwa am

8. März 1917 Hans Diefenbach, »weshalb mir z. B. der vielgerühmte erste Band des Marxschen ›Kapital‹ mit seiner Überladung an Rokoko-Ornamenten im Hegelschen Stil jetzt ein Greuel ist ...«, und sie fügt scherzhaft in Parenthese hinzu, daß für diese Ansicht »vom Parteistandpunkt 5 Jahre Zuchthaus und 10 J. Ehrverlust verwirkt sind ...«[81]

Lenins Denken kann man auf die einfache Formel bringen: Marx und sehr viel Hegel (plus der spezifisch russischen sozialrevolutionären Theorie). Ebenso wird man Rosa Luxemburgs Theorie auf die simplifizierende, aber als Denkmodell nützliche Formel bringen können: Marx minus Hegel. Marx vertraute zwar mehr der Spontaneität als Lenin, aber als Linkshegelianer weniger der Spontaneität und mehr der Organisation als Rosa Luxemburg. Diese wollte innerhalb der Sozialdemokratie und später innerhalb der Kommunistischen Partei nicht die Rolle eines »Marx-Pfaffen« spielen, wie man die kasuistisch-dogmatischen Exegeten der Schriften des großen Sozialphilosophen nannte.

Rosa Luxemburg zu Krieg und Frieden

In zahllosen Versammlungen und auf verschiedenen internationalen Kongressen warnte Rosa Luxemburg immer wieder vor der drohenden Gefahr des Weltkrieges. Ihr radikaler Internationalismus und Antimilitarismus wurde später auch von orthodoxen Kommunisten gerügt. Der DDR-Biograph Fred Oelßner verweist auf eine Äußerung Rosa Luxemburgs aus dem Jahre 1898 worin sie - bei einer Disputation mit dem Sozialdemokraten Heine - bemerkte, »daß es ein Widersinn ist, von der Bewilligung von Kanonen an den sozialistischen ›Staat‹ zu reden, daß somit die Äußerung Heines nur auf den Klassenstaat Bezug haben konnte«.[82] Oelßner beanstandet, daß Rosa Luxemburg die »Möglichkeit des Sieges des Sozialismus in einem Lande« verneinte[83] und daß sie sich »einen sozialistischen Staat ohne Kanonen, das heißt militärische Machtmittel« vorstellte.[84]

Andererseits tut man dem Respekt vor Rosa Luxemburgs Weitsicht, Mut und Menschlichkeit keinen Abbruch, wenn man darauf hinweist, daß sie keine Anhängerin prinzipieller Gewaltlosigkeit war und daß sie einen reinen Pazifismus, der einem kämpferischen radikalen Sozialismus widersprach, entschieden ablehnte.

Sie wollte aus marxistischen Arbeitern auch keine Ernsten Bibelforscher des Sozialismus und keine Märtyrer des Friedens machen. Erich Melcher, ein nonkonformistischer Kommunist, erzählte im Konzentrationslager Buchenwald einmal dem Sozialdemokraten Ernst Thape (später Vizepräsident der ersten Nachkriegslandesregierung von Sachsen-Anhalt), daß er 1912, als er Soldat werden sollte, vor der Frage gestanden habe, ob ein überzeugter Sozialist Soldat des Wilhelminischen Staates werden dürfe. Er bat Rosa Luxemburg um Rat: »Rosa Luxemburg, der ich diese Gewissensfrage vorlegte, belehrte mich, daß ich, gerade weil ich die Ziele der revolutionären Arbeiterklasse bejahte, Soldat werden müßte, denn es sei unsere Aufgabe, in Deutschland uns auf die Revolution vorzubereiten. Die Revolution aber brauche waffenkundige Männer«.[85]

Als Rosa Luxemburg nach ihrer möglichen Äußerung: »Wenn uns zugemutet wird, die Mordwaffen gegen unsre französischen oder andern Brüder zu erheben, dann rufen wir: Das tun wir nicht!«[86] am 20. Februar 1914 wegen Vergehens gegen die Paragraphen 110 und 111 (Aufforderung zum Ungehorsam gegen Gesetze und zu strafbaren Handlungen) vor der Frankfurter Strafkammer stand, da wandte sie sich gegen eine allzu einfache Auslegung ihrer - wie der sozialdemokratischen - Antikriegshaltung: »Und nun frage ich: Finden Sie, meine Herren, in all diesen Resolutionen und Beschlüssen auch nur eine Aufforderung, die dahin geht, daß wir uns vor die Soldaten hinstellen und ihnen zurufen sollen: Schießt nicht! Und weshalb? Etwa deshalb, weil wir uns vor den Folgen einer solchen Agitation, vor Strafparagraphen fürchten? Ach, wir wären traurige Wichte, wenn wir aus Furcht vor den Folgen etwas unterließen, was wir als notwendig und heilsam erkannt haben. Nein, wir tun es nicht, weil wir uns sagen: jene, die im sogenannten Rock des Königs stekken, sind doch nur ein Teil des werktätigen Volkes, und wenn dieses zu der nötigen Erkenntnis in bezug auf das Verwerfliche und Volksfeindliche der Kriege gelangt, dann werden auch die Soldaten von selbst wissen, ohne unsere Aufforderung, was sie im gegebenen Falle zu tun haben.«[87]

Da Rosa Luxemburg das Milizsystem nach Schweizer Vorbild befürwortete, war sie weit entfernt von der Parole »Die Waffen nieder« einer Berta von Suttner. Rosa Luxemburg sah ihre Aufgabe darin, das Bewußtsein der werktätigen Massen zu wecken, so daß - wie sie ausführte - *»die Mehrheit des Volkes zu der Überzeugung gelangt, daß Kriege eine barbarische, tief unsittliche, reaktionäre und volksfeindliche Erscheinung sind.«* Wenn dies erreicht werden könne, *»dann sind Kriege unmöglich geworden* - und mag zunächst der Soldat noch den Befehlen der Obrigkeit Gehorsam leisten!«

Wenn man ihre Rede vor der Frankfurter Strafkammer nachliest, so muß man ihren ungeheuren Mut bewundern, der sie, die Angeklagte, die Verfemte, befähigte, schonungslos die barbarische Gesinnung der Mächtigen ihrer Zeit bloßzulegen. So bemerkte sie zu dem Vorwurf der Hetze mit einem Seitenhieb gegen Kaiser Wilhelm II. (der anläßlich des chinesischen Boxeraufstandes die Hunnen als Vorbild für seine Soldaten gepriesen und zugleich gemahnt hatte, kein Chinese dürfe mehr einen Deutschen mit scheelen Augen ansehen): »Denn was heißt ›hetzen‹? Habe ich etwa den Versammelten einzuschärfen versucht: Wenn ihr im Kriege als Deutsche in Feindesland, zum Beispiel nach China kommt, dann haust so, daß kein Chinese nach hundert Jahren wagt, einen Deutschen mit scheelen Blicken anzusehen? Hätte ich *so* gesprochen, dann wäre das allerdings eine Aufhetzung.«[88] Rosa Luxemburgs Rede vor der Strafkammer schloß mit den Worten: *»Ein Sozialdemokrat flieht nicht. Er steht zu seinen Taten und lacht Ihrer Strafen. Und nun verurteilen Sie mich!«*[89]

In der im Gefängnis verfaßten Broschüre »Die Krise der Sozialdemokratie«, die wegen des Pseudonyms »Junius« auch »Junius-Broschüre« genannt wird, offenbarte sie ihre Verzweiflung über die politische Konzeptionslosigkeit und den patriotischen Konformismus der SPD im 1. Weltkrieg. Sie erhob Anklage gegen den Krieg und gegen die wirklich und vermeintlich Verantwortlichen. Sicherlich kann man einwenden, daß sie zu wenig zwischen der Lähmung und der Schwäche sozialdemokratischer Politiker einerseits und den wirklich Schuldigen am Krieg differenzierte. In einer makellosen, dichterisch überhöhten Sprache, die mit ihrer Kraft und Eindringlichkeit und mit ihrem apokalyptischen Bilderreichtum einzigartig ist, beschwört sie im 2. Kriegsjahr noch einmal den gespenstigen Veitstanz beim Ausbruch des Vulkans und die darauf folgende grauenhafte Er-

nüchterung (wobei sie auf einige unsinnige Gerüchte, die zu Beginn des 1. Weltkrieges kursierten, anspielt):
»... Vorbei ist der Rausch. Vorbei der patriotische Lärm in den Straßen, die Jagd auf Goldautomobile, die einander jagenden falschen Telegramme, die mit Cholerabazillen vergifteten Brunnen, die auf jeder Eisenbahnbrücke Berlins bombenwerfenden russischen Studenten, die über Nürnberg fliegenden Franzosen, die Straßenexzesse des spionenwitternden Publikums, das wogende Menschengedränge in den Konditoreien, wo ohrenbetäubende Musik und patriotische Gesänge die höchsten Wellen schlugen; ganze Stadtbevölkerungen in Pöbel verwandelt, bereit, zu denunzieren, Frauen zu mißhandeln, hurra zu schreien und sich selbst durch wilde Gerüchte ins Delirium zu steigern; eine Ritualmordatmosphäre, eine Kischneff-Luft, in der der Schutzmann an der Straßenecke der einzige Repräsentant der Menschenwürde war ...«[90]

»Das Geschäft gedeiht auf Trümmern. Städte werden zu Schutthaufen, Dörfer zu Friedhöfen, Länder zu Wüsteneien, Bevölkerungen zu Bettlerhaufen, Kirchen zu Pferdeställen; Völkerrecht, Staatsverträge, Bündnisse, heiligste Worte, höchste Autoritäten in Fetzen zerrissen; jeder Souverän von Gottes Gnaden den Vetter von der Gegenseite als Trottel und wortbrüchigen Wicht, jeder Diplomat den Kollegen von der anderen Partei als abgefeimten Schurken, jede Regierung die andere als Verhängnis des eigenen Volkes der allgemeinen Verachtung preisgebend; und Hungertumulte in Venetien, in Lissabon, in Moskau, in Singapur, und Pest in Rußland, und Elend und Verzweiflung überall.

Geschändet, entehrt, im Blute watend, von Schmutz triefend - so steht die bürgerliche Gesellschaft da, so ist sie. Nicht wenn sie, geleckt und sittsam, Kultur, Philosophie und Ethik, Ordnung, Frieden und Rechtsstaat mimt - als reißende Bestie, als Hexensabbat der Anarchie, als Pesthauch für Kultur und Menschheit -, so zeigt sie sich in ihrer wahren nackten Gestalt ...«[91]

Es ist dies die aufrüttelnde Sprache von Propheten des alten Testamentes oder von Buß-, Fasten- und Erweckungspredigern des späten Mittelalters. Bei dem Pulsschlag und der Gluthitze dieser Worte kann man denjenigen nicht ganz Unrecht geben, die Rosa Luxemburg zu den größten Künstlern der deutschen Sprache in ihrer Zeit zählen.

Heftige Kritik übte sie an den sozialistischen Parteien in Deutschland, England und Frankreich wegen ihrer Zustimmung zu den Kriegskrediten und ihrer Burgfriedenpolitik. Sie richtete den eindringlichen Appell an das internationale Proletariat: »Die Dividenden steigen, und die Proletarier fallen. Und mit jedem sinkt ein Kämpfer der Zukunft, ein Soldat der Revolution, ein Retter der Menschheit vom Joch des Kapitalismus ins Grab. Der Wahnwitz wird erst aufhören und der blutige Spuk der Hölle wird verschwinden, wenn die Arbeiter in Deutschland und Frankreich, in England und Rußland endlich aus ihrem Rausch erwachen, einander brüderlich die Hand reichen und den bestialischen Chorus der imperialistischen Kriegshetzer wie den heiseren Schrei der kapitalistischen Hyänen durch den alten Schlachtruf der Arbeit überdonnern: Proletarier aller Länder, vereinigt euch!«[92]

In dem Anhang »Leitsätze über die Aufgaben der internationalen Sozialdemokratie« vertritt sie ihre Thesen vom Imperialismus - in ähnlicher Weise wie in der »Akkumulation des Kapitals« - und von einem entschiedenen sozialistischen Internationalismus. Der Weltkrieg - so erklärt sie - diene »weder der nationalen Verteidigung, noch den wirtschaftlichen oder politischen Interessen irgendwelcher Volksmassen«, er sei »lediglich eine Ausgeburt imperialistischer Rivalitäten zwischen den kapitalistischen Klassen verschiedener Länder um die Weltherrschaft und um das Monopol in der Aussaugung und Unterdrückung der noch nicht vom Kapital beherrschten Gebiete«.[93] Den »Imperialismus« betrachtet sie »als letzte Lebensphase und höchste Entfaltung der politischen Weltherrschaft des Kapitals«.[94] Nachdrücklich betont sie: »In der Ära dieses entfesselten Imperialismus kann es keine nationalen Kriege mehr geben«.[95] Ebenso wendet sie sich entschieden gegen die Hoffnung, daß aus dem Krieg Freiheit für die unterdrückten Völker erwachsen könne: »Aus der Politik der imperialistischen Staaten und aus dem imperialistischen Kriege kann für keine unterdrückte Nation Freiheit und Unabhängigkeit hervorsprießen.«[96] Die kleinen Nationen bildeten »nur Schachfiguren in dem imperialistischen Spiel der Großmächte«, während die herrschenden Klassen dieser kleinen Nationen nichts anderes als »Anhängsel und Mitschuldige ihrer Klassengenossen in dem imperialistischen Spiel der Großmächte« seien.[97] Es könne nur ein Vaterland für das Proletariat geben: »Das Vaterland der Proletarier, dessen Verteidigung alles andere untergeordnet werden muß, ist die sozialistische Internationale.«[98] Ohne internationale Solidarität sei der Sozialismus undenkbar: »Es gibt keinen Sozialismus außerhalb der internationalen Solidarität des Proletariats, und es gibt keinen Sozialismus außerhalb des Klassenkampfes.«[99] Nur eine neue Arbeiter-Internationale, die unter der Losung »Krieg dem Kriege« auftrete, könne dem Imperialismus Widerstand leisten.[100] Rosa Luxemburgs entschiedener Internationalismus stieß auch bei Lenin - und insbesondere bei seinen Epigonen - auf Widerspruch.

Allerdings hat es den Anschein, daß sich Rosa Luxemburg nach der russischen Oktoberrevolution den Vorstellungen Lenins vom gerechten und vom nationalen Befreiungskrieg näherte. In der im Breslauer Stadtgefängnis im Juli 1918 niedergeschriebenen Einleitung zu Wladimir Korolenkos »Die Geschichte meines Zeitgenossen« (die sie aus dem Russischen übersetzt hat), wendet sie sich gegen Leo Tolstois Lehre von der Gewaltlosigkeit: »Die Propaganda des ›Nichtwiderstehens dem Übel, die Verpönung aller Gewaltanwendung im Kampfe mit der herrschenden Reaktion, der man nur die ›innere Läuterung‹ des Individuums entgegenzustellen habe, diese Theorien der sozialen Passivität wurden in der Stimmung der 80er Jahre zur ernsten Gefahr für die russische Intelligenz, zumal sie sich so berückender Mittel bedienen konnte wie der Feder und der moralischen Autorität Leo Tolstois.«[101] Und Rosa Luxemburg erzählte zustimmend Korolenkos »Legende vom Florus«, eine Legende, womit dieser den Tolstoischen Erzählungen entgegentreten wollte und die auch als Rechtfertigung für nationale Befreiungskriege unterdrückter Völker verstanden werden kann:

»In Judäa herrschten die Römer mit Schwert und Feuer, plünderten das Land und sogen die Bewohner aus. Das Volk stöhnte und beugte sich unter dem verhaßten Joch. Vom Anblick der Leiden seines Volkes ergriffen, erhebt sich der weise Menachem, der Sohn Jehudas, appelliert an die Heldentraditionen der Vorfahren und predigt den Aufstand gegen die Römer, den ›heiligen Krieg‹. Dem tritt die Sekte der sanftmütigen Sossäer entgegen, die gleich Tolstoi jede Gewaltanwendung verpönen und nur in der inneren Läuterung, der Weltflucht und der Entsagung das Heil erblicken. ›Mit deinem Aufruf zum

Kampfe säest du Unheil!‹ rufen sie Menachem zu. ›Wird eine Stadt belagert und sie leistet Widerstand, dann pflegen die Belagerer den unterwürfigen Einwohnern das Leben zu schenken, jene aber, so Widerstand geleistet haben, dem Tode zu überantworten. Wir predigen unserem Volke Unterwürfigkeit, damit es vor dem Untergang bewahrt werde ... Man trocknet nicht Wasser mit Wasser und löscht nicht Feuer mit Feuer. So wird auch die Gewalt nicht durch Gewalt überwunden, denn sie ist selbst von Übel.‹

Darauf antwortete Menachem, der Sohn Jehudas, unbeirrt: ›Gewalt ist weder Wohltat noch Übel, sie ist Gewalt; wohl oder übel ist nur ihre Anwendung. Die Gewalt des Armes ist ein Übel, wenn er zum Raub und zur Bedrückung Schwacher erhoben ist; wird er aber zur Arbeit oder zur Verteidigung des Nächsten erhoben, dann ist seine Gewalt eine Wohltat. Wahr ist: man löscht nicht Feuer mit Feuer und trocknet nicht Wasser mit Wasser, doch den Stein zerschmettert man mit dem Stein, den Stahl wehrt man mit dem Stahl ab und Gewalt mit Gewalt. Und noch: die Übermacht der Römer ist das Feuer, eure Demut aber - Holz. Das Feuer wird nicht einhalten, ehe es das ganze Holz gefressen hat.‹ ...«[102]

Rosa Luxemburg bekannte sich ausdrücklich zu Korolenko und zu seiner Legendengestalt Menachem: »Wie eine frische Brise stürmte dieses trotzige Bekenntnis in die stickigen Nebel der Indolenz und der Mystik. Korolenko bereitete zu seinem Teil die Wege einer neuen geschichtlichen ›Gewalt‹ in Rußland, die bald ihren wohltätigen Arm erheben sollte, den Arm der Arbeit wie des Befreiungskampfes.«[103] Rosa Luxemburg bekennt sich aber auch mit Korolenko (und mit sehr vielen Kommunisten aller Richtungen) zu der Utopie, daß »nie mehr wird Menschenblut von Menschenhand vergossen werden«.[104] Ihre Ansichten über Krieg und Frieden lassen sich verschieden interpretieren. Es gibt auch Äußerungen, die - wie etwa die obige Legende - zur Rechtfertigung von Befreiungskriegen dienen können.

Rosa Luxemburg und der Kommunismus

Von der SPD zur KPD

Karl Radek, der seinerzeit dem Gründungsparteitag der KPD die Grüße der Bolschewiki überbrachte und der sich später mit Stalin überwarf, bemerkt zutreffend, daß Rosa Luxemburgs Broschüre über den Massenstreik von 1906 »die Absonderung der kommunistischen Bewegung von der Sozialdemokratie« einleitete.[1] Der Politikwissenschaftler und Kommunismusforscher Hermann Weber weist darauf hin, daß es bereits vor dem 1. Weltkrieg eine kommunistische Bewegung gegeben hat, die allerdings innerhalb der Sozialdemokratie verblieb: »In der Tat entwickelte sich die deutsche kommunistische Bewegung vor dem ersten Weltkrieg als Strömung der deutschen Sozialdemokratie. Den von Eduard *Bernstein* geführten Revisionisten stand die geistig von Karl *Kautsky* beeinflußte Mehrheit der alten SPD gegenüber, das sogenannte marxistische Zentrum, in dessen Reihen zunächst auch die Linken um Rosa *Luxemburg* zu finden waren. Bei den Auseinandersetzungen um die Auswertung der russischen Revolution von 1905 (vor allem bei der Diskussion um den Massenstreik) lösten sich zwischen 1908 und 1910 die linksradikalen Kreise der Partei vom marxistischen Zentrum. Der Bruch Rosa *Luxemburgs* mit der ›Leipziger Volkszeitung‹ nach dem Jenaer Parteitag 1913 leitete auch die organisatorische Trennung der Linksradikalen vom Zentrum ein. Neben Revisionisten und marxistischem Zentrum bildeten die Linken um Rosa *Luxemburg*, Franz *Mehring* und Julian *Marchlewski* eine dritte Strömung der Vorkriegs-Sozialdemokratie.«[2]

Verschärft wurden die Spannungen durch die Auseinandersetzungen um die Zustimmung der Sozialdemokratie zu den Kriegskrediten. Man muß sich aber vor der Vereinfachung hüten, es seien nur Ultralinke Kriegsgegner gewesen. Der französische Sozialist Jean

Jaurès, der den Eintritt seines Genossen Millerand in ein bürgerliches Kabinett gebilligt hatte und deswegen als Revisionist und Reformist beschimpft wurde, zählte zu den entschiedenen Kriegsgegnern und wurde deswegen im Sommer 1914 von einem fanatischen Chauvinisten erschossen. Dem Gedanken der Gewaltlosigkeit kam der deutsche Revisionist Eduard Bernstein, der nach anfänglicher Fraktionsdisziplin die Zustimmung zu den Kriegskrediten verweigerte, vielleicht noch näher als Rosa Luxemburg. Andererseits bejahten führende Linke der deutschen Vorkriegs-Sozialdemokratie wie Paul Lensch und Konrad Haenisch den Gedanken der Vaterlandsverteidigung.[3]

Am 4. August 1914, an dem Tage, da der Reichstag unter Einschluß der SPD-Fraktion für die Kriegskredite stimmte, trafen sich in Rosa Luxemburgs Wohnung einflußreiche ultralinke Kriegsgegner, um über Maßnahmen der Linksopposition zu beraten. Als ihr Organ erschien im Frühjahr 1915 die von Rosa Luxemburg und Franz Mehring herausgegebene Schrift »Die Internationale«. Im Anschluß daran nannten sich Rosa Luxemburgs politische Freunde »Gruppe Internationale«. Im Januar 1916 gab die Gruppe erstmals einen mit »Spartakus« unterzeichneten Brief heraus. Fortan hieß die »Gruppe Internationale« »Spartakusgruppe«.[4]

Nach dem Zusammenbruch der Monarchie brachte diese Gruppe die Zeitung »Die Rote Fahne« heraus. Am 11. November 1918 bildeten Rosa Luxemburg, Karl Liebknecht, Leo Jogiches, Franz Mehring, Ernst Meyer, Hermann und Käthe Duncker, Paul Levi, Paul Lange, August Thalheimer und Wilhelm Pieck die Zentrale der Spartakusgruppe, die sich nun »Spartakusbund« nannte.[5] In der »Roten Fahne« vom 20. November 1918 spricht sich Rosa Luxemburg nachdrücklich für »sozialistische Demokratie« gleich Diktatur des Proletariats und gegen »bürgerliche Demokratie« gleich Parlamentarismus aus:

». . . Die von der Geschichte auf die Tagesordnung gestellte Frage lautet: *bürgerliche* Demokratie oder *sozialistische* Demokratie. Denn Diktatur des Proletariats, das ist Demokratie im sozialistischen Sinne. Diktatur des Proletariats, das sind nicht Bomben, Putsche, Krawalle, ›Anarchie‹, wie die Agenten des kapitalistischen Profits zielbewußt fälschen, sondern das ist der Gebrauch aller politischen

Machtmittel zur Verwirklichung des Sozialismus, zur Expropriation der Kapitalistenklasse - im Sinne und durch den Willen der revolutionären Mehrheit des Proletariats, also im Geiste sozialistischer Demokratie.

Ohne den bewußten Willen und die bewußte Tat der Mehrheit des Proletariats kein Sozialismus. Um dieses Bewußtsein zu schärfen, diesen Willen zu stählen, diese Tat zu organisieren, ist ein Klassenorgan nötig: das Reichsparlament der Proletarier in Stadt und Land.

Die Einberufung einer solchen Arbeitervertretung an Stelle der traditionellen Nationalversammlung der bürgerlichen Revolutionen ist an sich schon ein Akt des Klassenkampfes, ein Bruch mit der geschichtlichen Vergangenheit der bürgerlichen Gesellschaft, ein mächtiges Mittel zur Aufrüttelung der proletarischen Volksmassen, eine erste offene schroffe Kriegserklärung an den Kapitalismus.

Keine Ausflüchte, keine Zweideutigkeiten - die Würfel müssen fallen. Der parlamentarische Kretinismus war gestern eine Schwäche, ist heute eine Zweideutigkeit, wird morgen ein Verrat am Sozialismus sein.«[6]

Klar gibt hier Rosa Luxemburg zu erkennen, daß sie nicht für Egalität, nicht für gleiches Wahlrecht, also nicht für Demokratie, sondern für Klassenherrschaft des Proletariats eintritt. Vier Tage später, in der »Roten Fahne« vom 24. November 1918, lehnt sie Terror als Mittel proletarischer Revolution ab: »Mit einem Wort: Terror und Schreckensherrschaft waren in den bürgerlichen Revolutionen ein Mittel, geschichtliche Illusionen zu zerstören oder hoffnungslose Interessen gegen den Strom der Geschichte zu verteidigen. Das sozialistische Proletariat tritt, dank der Theorie des wissenschaftlichen Sozialismus, in seine Revolution ohne alle Illusionen ein ... Es hat deshalb nicht nötig, die eigenen Illusionen erst durch blutige Gewaltakte zu zerstören, erst zwischen sich und der bürgerlichen Gesellschaft einen Abgrund zu graben ... Aber es gibt jemand anderen, der heute Terror, Schreckensherrschaft, Anarchie dringend braucht: das sind die Herren Bourgeois ...«[7]

Trotz ihrer theoretischen Absage an den Terror bleibt ihre Haltung merkwürdig zwielichtig. Sie schließt mit einem grausamen Bild, das geeignet ist, Brutalität und Sadismus zu wecken: »Der Diktatur des Proletariats, dem Sozialismus gehört der Tag und die

Stunde. Wer sich dem Sturmwagen der sozialistischen Revolution entgegenstemmt, wird mit zertrümmerten Gliedern am Boden liegenbleiben.«[8]

In der »Roten Fahne« vom 27. November 1918 legt sie den Sinn der Revolution, die sich weit über den gewerkschaftlichen Kampf hinaus erhebe, dar:

»In der heutigen Revolution sind die eben ausgebrochenen Streiks keine ›gewerkschaftliche‹ Auseinandersetzung um Lappalien, um das Drum und Dran des Lohnverhältnisses. Sie sind die natürliche Antwort der Massen auf die gewaltige Erschütterung, die das Kapitalverhältnis durch den Zusammenbruch des deutschen Imperialismus und die kurze politische Revolution der Arbeiter und Soldaten erfahren hat. Sie sind der erste Anfang einer Generalauseinandersetzung zwischen Kapital und Arbeit in Deutschland, sie läuten den Beginn des gewaltigen direkten Klassenkampfes ein, dessen Ausgang kein anderer als die Beseitigung des kapitalistischen Lohnverhältnisses und die Einführung der sozialistischen Wirtschaft sein kann. Sie lösen die lebendige soziale Kraft der gegenwärtigen Revolution aus: die revolutionäre Klassenenergie der proletarischen Massen. Sie eröffnen die Periode der unmittelbaren Aktivität der breitesten Massen, jener Aktivität, zu der die Sozialisierungsdekrete und Maßnahmen irgendwelcher Vertretungskörperschaften oder der Regierung nur die Begleitmusik bilden können . . .«[9]

Wieder fehlen nicht die harten Bilder. So bemerkte sie bei einem Seitenhieb gegen den Mehrheitssozialdemokraten Friedrich Ebert und den Unabhängigen Sozialdemokraten Hugo Haase: »Der Acheron [griechischer Fluß der Unterwelt] ist in Bewegung geraten, und die Knirpse, die an der Spitze der Revolution ihr kleines Spiel treiben, werden purzeln, oder sie werden endlich das Kolossalformat des weltgeschichtlichen Dramas, an dem sie mitspielen, verstehen lernen.«[10]

Am 14. Dezember 1918 veröffentlichte »Die Rote Fahne« das von Rosa Luxemburg verfaßte Spartakusprogramm »Was will der Spartakusbund?« Sie forderte darin unter anderem Entwaffnung der gesamten Polizei, sämtlicher Offiziere und nichtproletarischer Soldaten, eine Bewaffnung der gesamten erwachsenen proletarischen Bevölkerung als Arbeitermiliz und die Wahl aller Vorgesetzten durch Mannschaften unter jederzeitigem Rückberufungsrecht; die Abschaffung aller Einzelstaaten, die Beseitigung aller Parlamente und Gemeinderäte und die Übernahme ihrer Funktionen durch Arbeiter- und Soldatenräte bzw. ihre Ausschüsse und Organe, die Wahl von Arbeiterräten nach Betrieben in ganz Deutschland durch die gesamte erwachsene Arbeiterschaft beider Geschlechter sowie die Wahl von Soldatenräten durch die Mannschaften, »unter Ausschluß der Offiziere und Kapitulanten«. Im ganzen Reich sollten Delegierte von Arbeiter- und Soldatenräten für den Zentralrat der Arbeiter- und Soldatenräte gewählt werden, der seinerseits den Vollzugsrat als das oberste Organ der gesetzgebenden und vollziehenden Gewalt zu wählen habe. Die Arbeiter und Soldaten sollten das Recht zur jederzeitigen Rückberufung ihrer Vertreter haben. Damit würde das Recht der lokalen Arbeiter- und Soldatenräte korrespondieren, jederzeit ihre Vertreter im Zentralrat, falls diese nicht im Sinne ihrer Auftragsgeber handeln, zurückzurufen und zu ersetzen. Der Zentralrat solle vorläufig mindestens alle drei Monate - unter jeweiliger Neuwahl der Delegierten - zur ständigen Kontrolle des Vollzugsrates zusammentreten. Der Vollzugsrat habe die Volksbeauftragten sowie die zentralen Reichsbehörden und Beamten zu ernennen und abzusetzen.[11]

Dieses Rätemodell wurde durch radikale sozialistische Forderungen zur Neugestaltung von Wirtschaft und Landwirtschaft ergänzt. Für die Zeit vom 16. bis zum 21. Dezember 1918 ist in Berlin der Allgemeine Kongreß der Arbeiter- und Soldatenräte Deutschlands geplant. Rosa Luxemburg beschwört die Delegierten, dem Parlamentarismus und den parlamentarischen Sozialisten Ebert, Scheidemann und Haase eine Abfuhr zu erteilen. In der »Roten Fahne« vom 15. Dezember fordert sie vier »dringendste Maßnahmen« des Zentralrates:

»1. Er muß das Nest der Gegenrevolution, er muß die Stelle, an der alle Fäden der gegenrevolutionären Verschwörung zusammenlaufen, er muß das Kabinett Ebert-Scheidemann-Haase beseitigen.
2. Er muß die Entwaffnung aller Fronttruppen fordern, die nicht die höchste Gewalt der Arbeiter- und Soldatenräte bedingungslos anerkennen und zur persönlichen Leibgarde des Kabinetts Ebert-Haase werden.
3. Er muß die Entwaffnung aller Offiziere und der von der Regie-

rung Ebert-Haase gebildeten Weißen Garde fordern und die Rote Garde schaffen.
4. Er muß die Nationalversammlung als ein Attentat auf die Revolution und die A- und S-Räte ablehnen.«

Sie ruft den Delegierten zu: »Alle Macht den Arbeiter- und Soldatenräten!«[12]

»Nationalversammlung oder Räteregierung« lautet der zweite Punkt auf der Tagesordnung der Reichsversammlung. Und Rosa Luxemburg versucht noch einmal - in der »Roten Fahne« vom 17. Dezember 1918 - die Delegierten zu einer Entscheidung im revolutionären Sinne gegen die Nationalversammlung und für das Rätesystem zu drängen: »Auch der Parlamentarismus war eine Arena des Klassenkampfes für das Proletariat, solange der ruhige Alltag der bürgerlichen Gesellschaft dauerte: er war die Tribüne, von der aus die Massen um die Fahne des Sozialismus gesammelt, für den Kampf geschult werden konnten. Heute stehen wir mitten in der proletarischen Revolution, und es gilt heute, an den Baum der kapitalistischen Ausbeutung selbst die Axt zu legen. Der bürgerliche Parlamentarismus hat, wie die bürgerliche Klassenherrschaft, deren vornehmstes politisches Ziel er ist, sein Daseinsrecht verwirkt ... Was bisher als Gleichberechtigung und Demokratie galt: Parlament, Nationalversammlung, gleicher Stimmzettel, war Lug und Trug! Die ganze Macht in der Hand der arbeitenden Masse, als revolutionäre Waffe zur Zerschmetterung des Kapitalismus - das allein ist wahre Gleichberechtigung, das allein ist wahre Demokratie!«[13]

Doch Rosa Luxemburg führt ihre brillante Feder umsonst. Die Mehrheit der 489 Delegierten steht hinter der SPD. Die Linksradikalen, wie Spartakisten und Internationale Kommunisten, bilden eine verschwindende Minderheit von je 10 Delegierten. So spricht sich der Kongreß für parlamentarische Demokratie, für die Wahl der Nationalversammlung auf Grund des allgemeinen, freien, gleichen und geheimen Wahlrechts am 19. Januar 1919 aus. Nicht nur die Linksradikalen, sondern auch die Unabhängigen Sozialdemokraten, die eine Kombination von Parlamentarismus und Rätesystem anstrebten, müssen eine Niederlage einstecken.

Rosa Luxemburg schaltet um. Sie wird bestimmt keine Anhängerin des Parlamentarismus und der Nationalversammlung. Nein, ganz im Gegenteil, sie bleibt ihrem rigorosen Antiparlamentarismus treu. Aber sie argumentiert, das revolutionäre Proletariat könne nur die konterrevolutionäre Nationalversammlung bekämpfen, indem es sich an der Wahl beteilige und indem es, wie den alten Reichstag, nun auch die Nationalversammlung in eine Tribüne des Klassenkampfes verwandle. Den Parlamentarismus zerstören durch Agitation innerhalb der Parlamente - das ist ihre Devise. Sie skizziert in der »Roten Fahne« vom 23. Dezember 1918 die Aufgabe der Linksradikalen: »Alle Kniffe und Schliche der werten Versammlung rücksichtslos und laut denunzieren, ihr gegenrevolutionäres Werk auf Schritt und Tritt vor der Masse entlarven, die Massen zur Entscheidung, zur Einmischung anrufen - dies ist die Aufgabe der Beteiligung an der Nationalversammlung ... Die Wahlaktion, die Tribüne dieses gegenrevolutionären Parlaments, soll ein Mittel werden zur Schulung, Sammlung, Mobilisierung der revolutionären Masse, eine Etappe im Kampf um die Aufrichtung der proletarischen Diktatur. Ein Sturm der Massen an die Tore der Nationalversammlung, die geballte Faust des revolutionären Proletariats, die sich mitten in der Versammlung erhebt und die Fahne schwenkt, auf der die feurigen Lettern leuchten: *Alle Macht den A- und S-Räten!* - Das ist unsere Beteiligung an der Nationalversammlung ...«[14]

Da die USPD-Parteileitung nicht bereit ist, Rosa Luxemburgs Forderung nach einem Parteitag stattzugeben, stellt sie ihre Bedenken gegen die Gründung einer eigenen Partei zurück. Ihr Plan, den Spartakusbund als Kaderorganisation innerhalb sozialdemokratischer Parteien aufzubauen, ist zu offensichtlich gescheitert. Am 22. Dezember 1918 beschließt die Spartakus-Zentrale, eine Reichskonferenz des Bundes, die die Gründung einer neuen Partei vorbereiten soll, nach Berlin - und zwar für den 30. Dezember 1918 - einzuberufen. An dieser Konferenz nehmen auch Delegierte der Internationalen Kommunisten Deutschlands sowie drei Vertreter des Roten Soldatenbundes und ein Repräsentant der Jugend teil.[15] Aus der Konferenz wird - entgegen den ursprünglichen Absichten der Zentrale, die nur die Vorbereitung eines Gründungsparteitages wünschte - zwangsläufig der Gründungsparteitag der KPD.

Es zeigt sich, daß Rosa Luxemburg auf Distanz zu den russischen Bolschewiki bedacht ist. Bei einer Sitzung der Spartakuszentrale plädiert sie, wie ihr langjähriger Kampfgefährte Leo Jogiches, für den Namen »Sozialistische Partei« - im Gegensatz zu einer Gruppe, die mit dem Namen »Kommunistische Partei« die Bindung an den Bolschewismus unterstreichen will, und auch zu solchen, die mit dem Namen die Trennung vom Reformismus zu dokumentieren beabsichtigen. Rosa Luxemburg wendet sich »heftig dagegen«, die Partei »kommunistisch« zu nennen, und sie vertritt die Ansicht, die neue Partei habe die Aufgabe, »die Verbindung zwischen den Revolutionären des Ostens und den Sozialisten Westeuropas, die heute noch im reformistischen Fahrwasser schwimmen, herzustellen und den Prozeß der Loslösung der westeuropäischen Sozialisten vom Reformismus zu beschleunigen«. Der Name »Kommunistische Partei« erschwere diese Aufgabe.[16] Gegen den Satz des Spartakusprogrammes »Die proletarische Revolution bedarf für ihre Ziele keines Terrors, sie haßt und verabscheut den Menschenmord« spricht sich auf der Konferenz der linksradikale Delegierte Paul Frölich (der später mit der KPD brechen und Rosa Luxemburgs Biograph werden sollte) aus: »Genossen, gegen diese Fassung habe ich Schwerwiegendes einzuwenden. Zunächst bedeutet diese Fassung eine scharfe Kritik an der Taktik der Bolschewiki, (Widerspruch) die ganz offen erklärt haben: jawohl, wir müssen zum Terror greifen ...«[17]

Rosa Luxemburg appelliert an die Delegierten des KPD-Gründungsparteitages, für die Teilnahme an der Wahl zu stimmen. Sie will zwar weiterhin »die Nationalversammlung als ein gegenrevolutionäres Bollwerk bekämpfen«, aber sie betrachtet die Wahl als eine Möglichkeit, »die geistige Revolutionierung der Massen zu vertiefen«. Im Grunde geht es ihr nur darum, daß »wir die Massen aufrufen und erziehen wollen, um die Nationalversammlung zunichte zu machen«.[18] Sie gibt auch zu erkennen, was sie als das Ziel ihrer politischen Aufgabe betrachtet: »Die Aufgaben sind gewaltig, sie münden in die sozialistische Weltrevolution.«[19] Rosa Luxemburg wird vor ihrem Diskussionsbeitrag zwar mit lebhaftem Beifall begrüßt, erhält aber nach ihrem Plädoyer für die Teilnahme an der Wahl nur schwachen Beifall. Schließlich entscheidet die Mehrheit der Delegierten in dieser Frage gegen sie. Rosa Luxemburgs große Parteitagsrede »Unser Programm und die politische Situation« zeigt einen starken Niveauabfall gegenüber ihren früheren Reden und

Schriften und kündigt schon die Perversion ihrer Ideale durch die KPD an. Selbst Rosa Luxemburgs langjährige Gesinnungsgenossin und Freundin Henriette Roland Holst-van der Schalk bemerkt später: »Am folgenden Tage hält Rosa Luxemburg die Programmrede. Es stimmt traurig, sie zu lesen, so negativ ist sie, so ganz beherrscht von aggressiven Gefühlen gegen die Sozialdemokraten.«[20] Die Beschimpfung führender Sozialdemokraten verrät, daß Rosa Luxemburg jedes Maß verloren hat. So läßt sie sich etwa über die Unabhängigen Sozialdemokraten Haase und Dittmann aus: »Parteigenossen, die Herren Haase, Dittmann usw. haben unter allerlei Larven und Schminken die Revolution, die sozialistische Ware an den Mann bringen wollen, sie haben sich als Kuppler der Konterrevolution erwiesen.«[21] Noch ausfallender ist sie gegenüber den Mehrheitssozialdemokraten. Sie glaubt behaupten zu können, »daß die deutschen Gewerkschaftsführer und die deutschen Sozialdemokraten die infamsten und größten Halunken, die in der Welt gelebt haben, sind.«[22] Die damals führenden Männer der SPD wie Friedrich Ebert, Philipp Scheidemann und wie (der später nach rechts abgewanderte) August Winnig seien nicht nur »die Judasse der sozialistischen Bewegung ... sondern auch Zuchthäusler, die überhaupt nicht in eine anständige Gesellschaft hineingehören«.[23] Sie spricht von »der brutalen, vierschrötigen Gestalt des Herrn Ebert« und von Scheidemann, die für sie die »Konterrevolution, wie sie leibt und lebt« verkörpern.[24] Mit taktlosen Anspielungen auf Eberts einfache Herkunft mokiert sie sich über seinen Versuch eines Brückenschlages zwischen Arbeiterschaft und Bürgertum: »Die Ebert-Scheidemann empfinden es besonders schmerzlich, daß sie bei der Bourgeoisie nicht viel Vertrauen gefunden haben. Die Bourgeoisie wird es sich überlegen, ob sie den Hermelin auf die derbe Parvenügestalt des Ebert wird legen wollen. Wenn es soweit kommt, dann wird es schließlich heißen: es genügt hierzu nicht Blut an den Fingern, sondern er muß blaues Blut in den Adern haben, (Zwischenruf: Sehr gut!) wenn es soweit kommt, dann wird es heißen: wenn wir einen König haben wollen, brauchen wir keinen Emporkömmling, der sich nicht mal als König benehmen kann (Heiterkeit).«[25]

Rosa Luxemburg wollte zwar nicht den kommunistischen Aufstand, der Anfang Januar 1919, provoziert durch die Absetzung des linksradikalen Berliner Polizeipräsidenten Eichhorn, ausbricht; dennoch haben sich wohl manche Aufständische gerade ihre Parole aus dem Spartakusprogramm zu eigen gemacht: »Der Kampf um den Sozialismus ist der gewaltigste Bürgerkrieg, den die Weltgeschichte gesehen, und die proletarische Revolution muß sich für diesen Bürgerkrieg das nötige Rüstzeug bereiten, sie muß lernen, es zu gebrauchen - zu Kämpfen und Siegen.«[26]

Rosa Luxemburgs Artikel in der »Roten Fahne« und ihre Reden glätteten keineswegs die Wogen; sie gossen Öl ins Feuer. Die Revolution wird von ihr mit einer pseudoreligiösen Dignität versehen. Sie gleicht dem Jüngsten Gericht oder gar dem Messias selbst und wird nach ihrem Scheitern einst wieder »zu eurem [d. h. der wirklichen oder vermeintlichen Konterrevolutionäre] Schrecken mit Posaunenklang verkünden: Ich war, ich bin, ich werde sein!«[27]

Nachdem der Aufstand ausgebrochen ist, lehnt sie Kompromisse mit der gegnerischen Partei entschieden ab, und sie steht den Kämpfenden bis zu ihrem grausamen Tod am 15. Januar 1919 zur Seite.

Rosa Luxemburg und Lenin

Nach der Jahrhundertwende erläuterte W. I. Lenin insbesondere in zwei Schriften seine Konzeption von einer straff organisierten Kaderpartei als einer Avantgarde von Berufsrevolutionären. Die erste Schrift »Was tun? - Brennende Fragen unserer Bewegung« erschien 1902. Hierin erklärte er, »daß die Arbeiter ein sozialdemokratisches Bewußtsein gar nicht haben konnten« und daß ihnen dieses »von außen gebracht werden« mußte.[28] Von sich aus sei die spontane Arbeiterbewegung nur zu gewerkschaftlichen Organisations- und Kampfformen, zu »Trade-Unionismus« befähigt.[29] Deshalb sei es notwendig »eine starke Organisation der Revolutionäre zu schaffen, die das Proletariat durch harten und zähen Kampf erzieht«.[30] Emphatisch rief Lenin aus: »Gebt uns eine Organisation von Revolutionären, und wir werden Rußland aus den Angeln heben!«[31]

Die Menschewisten, die »Minderheitler« der russischen Sozialdemokratie unter L. Martow (1873-1923) und P. B. Axelrod

(1850-1928) stießen sich an Lenins Parteikonzept, erstrebten mehr Autonomie und ein legereres Organisationsprinzip. Martow zufolge sollte - wie Lenin schrieb - jeder Streikende das Recht haben, sich Sozialdemokrat zu nennen. Gegen Martow, der nun die Parteizeitung »Iskra« (Funke) beherrschte, gründete Lenin 1904 seine neue Zeitung »Wperjod« (Vorwärts). Und im selben Jahr richtete er gegen die Menschewiki die Schrift »Ein Schritt vorwärts, zwei Schritte zurück«, in der er seine Thesen aus »Was tun?« noch einmal bekräftigte - wobei er allerdings nicht mehr so sehr den Trade-Unionismus der Arbeiter, sondern vielmehr den Individualismus und »Opportunismus« der Intellektuellen in der Partei beargwöhnte. Die klassenbewußten Arbeiter sollten »lernen, die Mentalität eines Soldaten der proletarischen Armee von der Mentalität eines bürgerlichen Intellektuellen zu unterscheiden, der mit anarchistischen Phrasen prunkt ...«[32] Lenin wandte sich entschieden gegen »die Idee des Aufbaus der Partei von unten nach oben.«[33] Sein Plädoyer für den Parteizentralismus gipfelte in den Sätzen: »Bürokratismus versus Demokratismus, das ist eben Zentralismus versus Autonomismus, das ist eben das organisatorische Prinzip der revolutionären Sozialdemokratie gegenüber dem organisatorischen Prinzip der Opportunisten der Sozialdemokratie. Letzteres ist bestrebt, von unten nach oben zu gehen, und verficht daher überall, wo es möglich ist und soweit es möglich ist, den Autonomismus, den ›Demokratismus‹, der (bei Leuten, die mehr eifrig als klug sind) bis zum Anarchismus geht.«[34] Aus zwei weiteren Gründen ist seine Schrift von Bedeutung: Sie belegt Lenins Bekenntnis zum französischen Jakobinertum wie auch seine Wertschätzung des deutschen idealistischen Philosophen G. W. F. Hegel.

Friedrich Engels hatte einmal im Sinne von Karl Marx den Terror der Jakobiner wenige Jahre nach der Französischen Revolution von 1789 als eine Torheit bezeichnet. Lenin hingegen bekannte sich ausdrücklich zum Jakobinertum. Die parteipolitische Frontstellung nach der Französischen Revolution - hie Girondisten, dort Jakobiner - übertrug er auf die Situation der Sozialdemokratie. Girondisten - das waren die Versöhnler, Nachtrabpolitiker, Revisionisten, Opportunisten, Ökonomisten, Trade-Unionisten, bürgerliche Individualisten und sonstige Rechtsabweichler. Jakobiner - das war die revolutionäre Vorhut des Proletariats. Wie Robespierre und seine Anhänger so glaubte auch Lenin, daß das Volk von sich aus nicht den Gemeinwillen erkennen könne. Nur eine aufgeklärte Avantgarde oder ein Gesetzgeber im Rousseauschen Sinne könne das richtige Bewußtsein vermitteln. Lassen wir den Jakobiner Lenin zu Wort kommen: »Wer verteidigt ›*die proletarischen Tendenzen in unserer Bewegung*‹, wer unterstreicht, daß der Arbeiter die Organisation nicht fürchtet, daß der Proletarier für die Anarchie nichts übrig hat, daß er die Aufforderung ›Organisiert euch!‹ zu schätzen weiß, wer warnt vor der bürgerlichen Intelligenz, die bis ins Mark vom Opportunismus durchdrungen ist? *Die Jakobiner der Sozialdemokratie.* Und wer schmuggelt die radikale Intelligenz in die Partei ein, wer sorgt sich um die Professoren, die Gymnasiasten, die Einzelgänger, die radikale Jugend? *Der Girondist Axelrod im Bunde mit dem Girondisten Liber* ... Der Jakobiner, der untrennbar verbunden ist mit der *Organisation* des Proletariats, das sich seiner *Klasseninteressen bewußt geworden ist* - das ist eben der *revolutionäre Sozialdemokrat.* Der Girondist ... das ist eben der *Opportunist.*«[35]

Bereits in »Was tun?« hatte Lenin ein Loblied auf Hegel angestimmt: »Ohne Vorausgang der deutschen Philosophie, namentlich Hegels, wäre der deutsche wissenschaftliche Sozialismus - der einzige wissenschaftliche Sozialismus, der je existiert hat - nie zustande gekommen.«[36] In »Ein Schritt vorwärts, zwei Schritte zurück« preist er wiederum »die große Hegelsche Dialektik« und bemerkt: »Kurzum, nicht nur die Gerste wächst nach Hegel, auch die russischen Sozialdemokraten bekämpfen sich gegenseitig nach Hegel.«[37]

Hegels Philosophie beeinflußte Lenin unmittelbar und nicht nur durch das Medium Karl Marx. Lenin verstand seine Partei im Hegelschen Sinne gleichsam als Geschäftsführerin des Weltgeistes. Hegels Staatsvergottung entsprach Lenins Idolisierung der Partei.

Sein Organisationsmodell mußte den lebhaften Widerspruch Rosa Luxemburgs hervorrufen. Gegen Lenins Schrift »Ein Schritt vorwärts, zwei Schritte zurück« verfaßte sie den Aufsatz »Organisationsfragen der russischen Sozialdemokratie«, der 1904 erst in der »Iskra« und dann in der von Karl Kautsky redigierten Zeitschrift »Die Neue Zeit« abgedruckt wurde. Rosa Luxemburg räumte zwar ein, daß der russischen Sozialdemokratie »eine eigenartige, in der Geschichte des Sozialismus beispiellose Aufgabe zuteil geworden« sei und daß sie »ohne das politische Rohmaterial, das sonst von der bürgerlichen Gesellschaft vorbereitet wird«, die Organisationsfrage lösen müsse.[38] Aber sie weist auch auf die Konsequenzen des »rücksichtslosen Zentralismus« hin, den Lenin verficht: »Es genügt zu bemerken, daß zum Beispiel das Zentralkomitee nach dieser Auffassung die Befugnis hat, alle Teilkomitees der Partei zu organisieren, also auch die persönliche Zusammensetzung jeder einzelnen russischen Lokalorganisation von Genf und Lüttich [gemeint sind Exilgruppen] bis Tomsk und Irkutsk zu bestimmen, ihr ein selbstgefertigtes Lokalstatut zu geben, sie durch einen Machtspruch ganz aufzulösen und von neuem zu erschaffen, und schließlich auf diese Weise indirekt auch die Zusammensetzung der höchsten Parteiinstanz, des Parteitags, zu beeinflussen. Danach erscheint das Zentralkomitee als der eigentliche aktive Kern der Partei, alle übrigen Organisationen lediglich als seine ausführenden Werkzeuge.«[39] Den Organisationstypus der Sozialdemokratie sieht sie im schroffen Gegensatz zu dem der Jakobiner oder dem eines Louis-Auguste Blanqui. Der verschwörerische Zentralismus Lenins impliziere »die absolute blinde Unterordnung der Einzelorgane der Partei unter ihre Zentralbehörde und die Erweiterung der entscheidenden Machtbefugnisse dieses letzteren bis an die äußerste Peripherie der Parteiorganisation.«[40] Rosa Luxemburg hebt hervor, daß die Bedingungen der sozialdemokratischen Aktion hiervon grundverschieden seien: »Diese wächst historisch aus dem elementaren Klassenkampf heraus. Sie bewegt sich dabei in dem dialektischen Widerspruch, daß hier die proletarische Armee sich erst im Kampfe selbst rekrutiert und erst im Kampfe auch über die Aufgaben des Kampfes klar wird. Organisation, Aufklärung und Kampf sind hier nicht getrennte, mechanisch und auch zeitlich gesonderte Momente, wie bei einer blanquistischen Bewegung, sondern sie sind nur verschiedene Seiten desselben Prozesses.«[41]

Lenin hatte in »Ein Schritt vorwärts, zwei Schritte zurück« geschrieben, der Proletarier sei dem anarchistischen Individualismus der Intellektuellen überlegen, weil er »durch die Schule der ›Fabrik‹ gegangen« sei. Wie so oft in ihren Polemiken findet Rosa Luxemburg auch bei Lenin die schwache Stelle und sie nagelt ihn unerbittlich fest:

»Die ›Disziplin‹, die Lenin meint, wird dem Proletariat keineswegs bloß durch die Fabrik, sondern auch durch die Kaserne, auch durch den modernen Bürokratismus, kurz - durch den Gesamtmechanismus des zentralisierten bürgerlichen Staates eingeprägt. Doch ist es nichts als eine mißbräuchliche Anwendung des Schlagwortes, wenn man gleichmäßig als ›Disziplin‹ zwei so entgegengesetzte Begriffe bezeichnet, wie die Willen- und Gedankenlosigkeit einer vielbeinigen und vielarmigen Fleischmasse, die nach dem Taktstock mechanische Bewegungen ausführt, und die freiwillige Koordinierung von bewußten politischen Handlungen einer gesellschaftlichen Schicht; wie den Kadavergehorsam einer beherrschten Klasse und die organisierte Rebellion einer um Befreiung ringenden Klasse. Nicht durch die Anknüpfung an die ihm durch den kapitalistischen Staat eingeprägte Disziplin - mit der bloßen Übertragung des Taktstockes aus der Hand der Bourgeoisie in die eines sozialdemokratischen Zentralkomitees, sondern durch die Durchbrechung, Entwurzelung dieses sklavischen Disziplingeistes kann der Proletarier erst für die neue Disziplin - die freiwillige Selbstdisziplin der Sozialdemokratie erzogen werden.«[42]

Die Anklage gegen Lenins Parteiprinzip kulminiert in den Sätzen: »Der von Lenin befürwortete Ultrazentralismus scheint uns aber in seinem ganzen Wesen nicht vom positiven schöpferischen, sondern vom sterilen Nachtwächtergeist getragen zu sein. Sein Gedankengang ist hauptsächlich auf die Kontrolle der Parteitätigkeit und nicht auf ihre Befruchtung, auf die Einengung und nicht auf die Entfaltung, auf die Schurigelung und nicht auf die Zusammenziehung der Bewegung zugeschnitten.«[43] Rosa Luxemburg weiß sich mit Lenin einig in der Gegnerschaft zum »Opportunismus«, für den der bürgerliche Parlamentarismus den spezifischen Nährboden bilde. Sie widerspricht aber Lenins Annahme, daß man diesem Opportunismus mit organisatorischen Maßnahmen begegnen könne. Der Opportunismus sei nicht von außen in die Partei hineingetragen worden, sondern vielmehr eine Begleiterscheinung ihrer Entwicklung. Die Sozialdemokratie träte für alle Unterdrückten der bürgerlichen Gesellschaft ein und ziehe deswegen eine wachsende Schar von deklassierten Kleinbürgern als Mitläufer an. Deswegen müßten geschulte proletarische Kerntruppen den Ton angeben und die deklassierten bürgerlichen Mitläufer ins Schlepptau nehmen. Rosa Luxemburg widerspricht auch Lenins Behauptung, die Dezentralisation sei das Organisationsprinzip der Opportunisten. Diese würden sich vielmehr auch in organisatorischen Fragen immer den gegebenen Umständen anpassen. Der Schlußsatz ihres Aufsatzes aus dem Jahre 1904 weist bereits prophetisch auf die Petrifizierung des Marxismus im bolschewistischen Rußland und auf die Eliminierung aller freiheitlichen Tendenzen hin: »Fehltritte, die eine wirklich revolutionäre Arbeiterbewegung begeht, sind geschichtlich unermeßlich fruchtbarer und wertvoller als die Unfehlbarkeit des allerbesten ›Zentralkomitees‹.«[44]

Andererseits muß darauf hingewiesen werden, daß Lenin mit einem ungleich stärkeren Machtinstinkt begabt war. Rosa Luxemburgs Kritik an seinem Organisationsmodell hatte ja nicht nur moralischen Charakter, sondern bezog sich auch auf die Effektivität. Sie warf ihm vor, er würde der »Initiative des Parteigeistes Fußangeln anlegen« und »die Sozialdemokratie von vornherein für die großen Aufgaben des Moments in hohem Maße ungeeignet machen«.[45] Hierbei sollte sie ebenso irren wie in der Annahme, daß »das Vorhandensein einer beträchtlichen Schicht im politischen Kampfe bereits geschulter Proletarier« die Vorbedingung für den Erfolg der Partei Lenins sei.

Lenin antwortet noch im selben Jahr, in der zweiten Hälfte des Septembers 1904 in einem Artikel, der für die »Neue Zeit« bestimmt ist, aber von Karl Kautsky zurückgewiesen wird. Der russische Berufsrevolutionär verwahrt sich energisch gegen den Vorwurf des Ultrazentralismus. Er verteidige nicht - so betont er - »ein bestimmtes Organisationssystem gegen irgendein anderes«, sondern vielmehr »die elementaren Leitsätze eines beliebigen Systems jeder nur denkbaren Parteiorganisation«.[46] Weiterhin wendet er sich gegen die Auffassung Rosa Luxemburgs, das Zentralkomitee habe die Befugnis, alle Teilkomitees der Partei zu organisieren, wie gegen ihre Behauptung, er preise die erzieherische Bedeutung der Fabrik. Falsch habe Rosa Luxemburg auch sein Verhältnis zum Jakobinertum beschrieben. Nicht er, sondern der Menschewist Axelrod habe als erster vom Jakobinertum gesprochen. Dazu sagte er - Lenin -, daß die Beziehung zwischen den Jakobinern und Girondisten im 18. Jahrhundert dieselbe wie zwischen Bolschewisten und Menschewisten im 20. Jahrhundert gewesen sei. »Rosa Luxemburg verwechselt hier das *Ver-*

hältnis zwischen revolutionären Richtungen des XVIII. und XX. Jahrhunderts mit der Identifizierung dieser Richtungen selbst.«[47]

Lenin fährt schweres polemisches Geschütz gegen Rosa Luxemburg auf. Sie wiederhole »nur bloße Phrasen«, sie ignoriere »majestätisch die konkreten Tatsachen unseres Parteikampfes«, ihr Artikel enthalte »ausschließlich ausgeknobelte Schablonen« und widerspreche »dem Abc der Dialektik«.[48] Vernichtend ist Lenins Urteil über die Ketzerin Rosa Luxemburg, die nicht nur seine Partei verhöhnt habe, sondern auch vom rechten Weg des Marxismus abgekommen sei: »Der Leser, der sich die Mühe gibt, die Urquellen unseres Parteikampfes zu studieren, wird leicht verstehen, daß die Äußerungen der Genossin Rosa Luxemburg über ›Ultrazentralismus‹, über die Notwendigkeit einer allmählichen Zentralisierung usw. konkret und praktisch eine Verhöhnung unseres Parteitages, abstrakt und theoretisch (wenn man hier von Theorie sprechen kann) jedoch eine direkte Verflachung des Marxismus, eine Verzerrung der wirklichen Dialektik von Marx usw. sind.«[49]

Es wäre aber falsch, wenn man nur die Streitpunkte zwischen Rosa Luxemburg und Lenin nennen und dabei die wiederholte Zusammenarbeit in den Jahren 1906 bis 1911 oder die alles überdauernde gegenseitige Hochachtung übersehen würde. Sie machte ihn mit maßgeblichen Persönlichkeiten der SPD bekannt und warb um Sympathien für Lenin. Auf dem internationalen Kongreß in Stuttgart von 1906 traten Rosa Luxemburg und Lenin in der Frage von Krieg und Frieden solidarisch auf. Lenin überließ ihr die Abfassung des Antrages und versah sie mit einem Mandat der russischen Partei in der Militarismus-Kommission des Kongresses.[50] Im Namen der russischen Partei sprach sie beim Begräbnis des deutschen Sozialdemokraten Ignaz Auer.[51] Auf Lenins Wunsch, der der Überzeugung war, in ihr eine ständige Bundesgenossin der Bolschewiki gefunden zu haben, schrieb sie für eine neue bolschewistische Zeitung einen Artikel, in dem sie »linke« Abweichungen innerhalb der Partei kritisierte. Bei den Auseinandersetzungen zwischen Lenin und den Menschewiki stand sie überwiegend auf der Seite des großen Revolutionärs. Noch 1911 war, wie Peter Nettl schreibt, Rosa Luxemburg für die Menschewiki »einfach Lenins aktivste Parteigängerin in Deutschland, mit der naiven Clara Zetkin im Schlepptau«.[52]

Häufig ließ sie es sich angelegen sein, zwischen den streitenden russischen Sozialisten zu vermitteln. Erst zog sie den Zorn der Menschewiki, dann aber auch den der Bolschewiki auf sich. Nachdem sich 1911 die gespaltene russische Sozialdemokratie auf einem Kongreß geeinigt hatte, traute keine der verschiedenen Richtungen dem trügerischen Frieden. Deswegen verwahrten auf Wunsch der russischen Sozialdemokraten drei angesehene deutsche Genossen den Parteifond: Karl Kautsky, Franz Mehring und Klara Zetkin. Die Einheit der russischen Partei ging bald in die Brüche, und jede Gruppe machte ihren Anspruch auf den Fond geltend. Rosa Luxemburg beschäftigt sich in einem Brief an Luise Kautsky mit dieser Affäre; und sie nimmt gegen Martow und Trotzki (der damals ein Menschewist war) und für Lenin Stellung.

»Das energische Auftreten der Depositäre hat auf Lenin & Co. sehr gut gewirkt: sie haben sich gefügt und haben das Sprengen der neugeschaffenen Institutionen aufgegeben. Dafür sind die Menschewiks in ein förmliches Delirium gefallen. Nun rufen sie schleunigst - nachdem sie es 1½ Jahre für unmöglich erklärten - die Plenarsitzung des C. K. [Zentralkomitees] oder die Parteikonferenz auf eigene Faust zusammen, was natürlich nur der Spaltung dienen soll, und beschimpfen die Bolschewiks, die Polen und die Einigungskommission in unglaublichster Weise. Der gute Trotzki entpuppt sich immer mehr als ein fauler Kunde ... Er beschimpft direkt die Bolschewiks und die Polen als ›Parteispalter‹, hat aber *nicht eine Silbe* gegen das Pamphlet Martows gegen Lenin, das an Niedertracht alles Dagewesene übertrifft und offensichtlich eine Parteispaltung bezweckt ...«[53]

In der folgenden Zeit gab es jedoch heftige Meinungsverschiedenheiten zwischen Rosa Luxemburg und Lenin. Rosa Luxemburg gehörte mit Leo Jogiches bzw. Tyszka und anderen Genossen dem Hauptvorstand der »Sozialdemokratie des Königreichs Polen und Litauen« (SDKPiL) an. Bei dieser Partei konnten bereits um 1910 Spaltungstendenzen bemerkt werden. Im Gegensatz zu Rosa Luxemburg wünschte die Mehrheit der Partei ein engeres Zusammengehen mit dem linken Flügel der Polnischen Sozialistischen Partei. Der Hauptvorstand - also R. Luxemburg, Jogiches und Genossen - löste nach erbitterten Parteikämpfen die Warschauer Organisation - die zwar in der Nationalitätenpolitik dieselbe Meinung wie Rosa Luxemburg vertrat, aber ansonsten sich den Bolschewiki annäherte - auf. Rosa Luxemburg verdächtigte die Warschauer Organisation, sie sei von Spitzeln der russischen Geheimpolizei unterwandert. Der Auflösungsbeschluß verschärfte nur die Fraktionskämpfe, anstatt sie zu klären. Dem Bericht Rosa Luxemburgs an das Internationale Sozialistische Büro beantwortete Lenin mit einer Gegendarstellung, die sich gegen Rosa Luxemburg richtete.[53a]

Noch schärfer waren seine Angriffe in dem Artikel »Auch-›Vereiniger‹« vom November 1913. »Der Berliner Zirkel polnischer Sozialdemokraten (Rosa Luxemburg, Tyszka und Komp.), den die polnischen sozialdemokratischen Arbeiter entschieden abgewiesen haben, gibt keine Ruhe. Er fährt fort, sich als ›Hauptleitung‹ der polnischen Sozialdemokratie zu bezeichnen, obwohl bestimmt kein einziger Mensch in der Welt zu sagen vermag, was eigentlich diese bejammernswerte ›Leitung‹ ohne Partei ›leitet‹. . . Die Bolschewiki marschierten bekanntlich Schulter an Schulter mit den polnischen sozialdemokratischen Arbeitern, die den Intrigantenzirkel abgewiesen haben. Dies läßt die berüchtigte ›Leitung‹ nicht ruhig schlafen, und daher die ganze ›Vereinigungs‹-Kampagne, die mit Ausfällen gegen die russischen Marxisten einsetzte und die Unterstützung der russischen Liquidatoren bezweckt.«[54]

Lenin spielte hierbei auch auf Meinungsverschiedenheiten über Organisationsfragen der russischen Sozialdemokratie an. Auf der Prager Parteikonferenz von 1912 hatte er die Menschewiki aus der Partei vertrieben und eine Partei neuen Typs geschaffen. Da sich die Menschewiki hilfesuchend an die II. Internationale wandten und den Kurs der Partei neuen Typs bekämpften, wurden sie als »Liquidatoren« der neuen revolutionären Partei beschimpft. Auch Rosa Luxemburg ersuchte das Internationale Sozialistische Büro, die Einheit der russischen Partei wiederherzustellen. In einem Bericht an die Delegierten der internationalen Brüsseler Konferenz vom Juli 1914 stellte Lenin seine Meinungsverschiedenheiten mit Rosa Luxemburg dar: »Die eine Ansicht, die Rosa Luxemburg in ihrem vorjährigen Vorschlag (Dezember 1913) an das Internationale Sozialistische Büro dargelegt hat und die sowohl von den Liquidatoren als von den sie verteidigenden Gruppen geteilt wird, besteht im Folgenden: in Rußland herrsche ein ›Chaos‹ des Fraktionskampfes einer Unmenge von

Fraktionen, unter denen die schlimmste, die ›Leninsche‹, die Spaltung am meisten schüre. In Wirklichkeit schlössen die Meinungsverschiedenheiten die Möglichkeit einer gemeinsamen Arbeit keineswegs aus. Der Weg zur Einheit führe über eine Verständigung oder einen Kompromiß zwischen allen Strömungen und Fraktionen.

Die andere, von uns geteilte, Ansicht besteht darin, daß in Rußland nichts sei, was einem ›Chaos des Fraktionskampfes‹ gleicht. Es gibt dort nur einen Kampf gegen die Liquidatoren, und *nur* in diesem Kampfe bildet sich eine *tatsächlich* proletarische Sozialdemokratische Partei, die schon die *erdrückende Mehrheit*, vier Fünftel der klassenbewußten Arbeiter Rußlands, vereinigt hat ...«[55]

Für Lenin-Anhänger stand nun »Rosa Luxemburg auf der Seite der Liquidatoren ..., die unter der Losung der ›Einheit‹ die auf der Prager Konferenz geschaffene revolutionäre Partei wieder liquidieren wollten.«[56] Die Sozialisten Huysman (Belgien) und Kautsky forderten - hierbei sekundiert von Rosa Luxemburg - auf der Brüsseler Konferenz vom Juli 1914 eine Entscheidung über die Frage der Einheit von Bolschewiki und Menschewiki. Nur die Bolschewiki stimmten gegen eine entsprechende Resolution.[57]

Wie wir bereits gesehen haben, rief auch »Die Akkumulation des Kapitals« von 1913 den Unwillen Lenins hervor. Vor dem Weltkrieg flackerten auch die zwischen Lenin und Rosa Luxemburg bestehenden Meinungsverschiedenheiten über das Selbstbestimmungsrecht der Völker wieder auf. Rosa Luxemburg hatte sich in einem längeren polnischen Aufsatz von 1908/09 wiederum gegen einen selbständigen polnischen Staat ausgesprochen. Ihr Artikel fiel in die Zeit einer partiellen Kooperation mit Lenin. Anscheinend wollte Lenin erst später, als Rosa Luxemburg seine Partei neuen Typs bekämpfte, gegen ihren Artikel Stellung nehmen. In der Zeitschrift »Prosweschtschenije« wird 1914 (Nr. 4, 5, 6) seine Abhandlung »Über das Recht der Nationen ...« veröffentlicht. Lenin spart auch diesmal nicht mit starken Worten. Er spricht von dem »Talent der Verfasserin, nicht zu verstehen, *verschiedene Dinge auseinanderzuhalten!*«[58] und wirft ihr »lächerliches, kindisches Klugtun« vor.[59] Sie habe »den überaus langen Aufsatz ... zu einem Haufen leerer, inhaltloser Gemeinplätze« gemacht.[60] Er setzt sich mit ihrem Vorwurf auseinander, die Anhänger der Freiheit der Selbstbestimmung würden den Separatismus fördern: »Die Anhänger der Freiheit der Selbstbestimmung, das heißt der Freiheit der Lostrennung, zu beschuldigen, sie förderten den Separatismus, ist die gleiche Dummheit und die gleiche Heuchelei, wie die Anhänger der Freiheit der Ehescheidung zu beschuldigen, sie förderten die Zerstörung der Familienbande.«[61] Rosa Luxemburg vertrete zudem eine andere Auffassung als Karl Marx, der die polnische Unabhängigkeitsbewegung begrüßt und die Lostrennung der Iren von den Engländern propagiert habe.

Man braucht kein Leninist zu sein, um einige Argumente Lenins gegen Rosa Luxemburg plausibel zu finden. Sie übersehe, so meint Lenin, bei ihrer Kritik an dem bürgerlichen Nationalismus der Polen den feudalen Nationalismus der Großrussen: »Hingerissen vom Kampf gegen den Nationalismus in Polen, hat Rosa Luxemburg den Nationalismus der Großrussen vergessen, obwohl gerade *dieser* Nationalismus jetzt am gefährlichsten ist, denn gerade er ist weniger ein bürgerlicher, sondern mehr ein feudaler Nationalismus, denn gerade er ist das Haupthemmnis für die Demokratie und den proletarischen Kampf. *Jeder* bürgerliche Nationalismus einer unterdrückten Nation hat einen allgemein demokratischen Inhalt, der sich *gegen* die Unterdrückung richtet, und diesen Inhalt unterstützen wir *unbedingt*, wobei wir das Streben nach eigener nationaler Exklusivität streng ausschalten, das Bestreben des polnischen Bourgeois, den Juden zu unterdrücken, bekämpfen usw. usw.«[61a]

Lenin - man mag zu seiner politischen Überzeugung stehen wie man will - hat hier wohl mehr Verständnis für ein unterdrücktes Volk gezeigt als die Polin Rosa Luxemburg. Dies sollten insbesondere diejenigen beherzigen, die immer wieder versuchen, Rosa Luxemburg gegen Lenin sozialdemokratisch auszuspielen. Eine Welt trennt zwar Josef Stalin von Rosa Luxemburg; aber in der Nationalitätenfrage steht er - im Prinzip, nicht in der Methode! - Rosa Luxemburg näher als Lenin.

Im Juli 1916 rezensiert Lenin Rosa Luxemburgs Broschüre »Die Krise der Sozialdemokratie«, die unter dem Pseudonym »Junius« erschienen ist: »Die überaus lebendig geschriebene Broschüre von Junius hat zweifellos im Kampf gegen die auf die Seite der Bourgeoisie und der Junker übergegangene ehemals Sozialdemokratische Partei Deutschlands eine große Rolle gespielt und wird sie auch weiterhin spielen, und wir begrüßen den Autor von ganzem Herzen.«[62] Aber er erhebt auch kritische Einwände. »Der Hauptmangel der Junius-Broschüre und im Vergleich zur legalen (wenn auch sofort nach ihrem Erscheinen verbotenen) Zeitschrift ›Die Internationale‹ ein direkter Schritt zurück ist das Verschweigen des Zusammenhanges zwischen dem Sozialchauvinismus (der Verfasser gebraucht weder diesen Terminus noch den weniger präzisen Ausdruck Sozialpatriotismus) und dem Opportunismus ... Sowohl in der Junius-Broschüre als auch in den Thesen ist *weder* vom Opportunismus *noch* vom Kautskyanertum die Rede! Das ist theoretisch unrichtig, denn man kann den ›Verrat‹ nicht *erklären,* ohne ihn mit dem Opportunismus als *Richtung* in Zusammenhang zu bringen, die schon auf eine lange Geschichte, die ganze Geschichte der II. Internationale, zurückblickt ...«[63]

Lenin argwöhnt, daß einige Mitglieder der Gruppe »Internationale« »anscheinend wieder in den Sumpf des prinzipienlosen Kautskyanertums hinabgeglitten« seien.[64] Weiterhin beanstandete er die These Rosa Luxemburgs, in der Ära des Imperialismus könne es keine nationalen Kriege mehr geben. Es sei zwar unwahrscheinlich, aber nicht ausgeschlossen, daß aus dem gegenwärtigen imperialistischen Krieg ein nationaler Krieg erwachse. Wie ein nationaler Krieg in einen imperialistischen, so könne auch umgekehrt ein imperialistischer Krieg in einen nationalen umschlagen.

1918, als die Bolschewiki in Rußland die politische Macht erobert haben, schreibt Rosa Luxemburg im Breslauer Gefängnis ihre Darstellung über »Die russische Revolution«. Diese von ihrem Vertrauten Paul Levi - nach dessen Bruch mit der Kommunistischen Partei - herausgegebene Schrift wird häufig als antibolschewistisches Pamphlet mißdeutet. Nein, sie eignet sich wirklich nicht als parlamentarisch-demokratische oder sozialdemokratische Konterbande. Voll Bewunderung sieht Rosa Luxemburg auf das säkulare Ereignis der Oktober-Revolution: »Die russische Revolution ist das gewaltigste Faktum des Weltkrieges. Ihr Ausbruch, ihr beispielloser Radikalismus, ihre dauerhafte Wirkung strafen am besten die Phrase Lügen, mit der die offizielle deutsche Sozialdemokratie den Eroberungsfeldzug des deutschen Imperialismus im Anfang diensteifrig ideologisch bemäntelt hat: die Phrase von der Mission der deutschen Bajonette, den russischen Zarismus zu stürzen und seine unterdrückten Völker zu befreien ...« So beginnt »Die russische Revolution«.[65] Rosa Luxemburg preist »die tiefgreifende Wirkung, womit sie (die russische Revolution) alle Klassenverhältnisse erschüttert, sämtliche sozialen und wirtschaftlichen Probleme aufgerollt, sich folgerichtig vom ersten Stadium der bürgerlichen Republik zu immer weiteren Phasen mit der Fatalität der inneren Logik voranbewegt hat«.[66] Deutlich rückt sie von der These Karl Kautskys ab, Rußland sei als wirtschaftlich zurückgebliebenes Land noch nicht reif für die sozialistische Revolution. Höhnisch bemerkt sie, die freiheitlichen Sozialisten würden die »hausbackenen Weisheiten aus den parlamentarischen Froschmäusekriegen auf die revolutionäre Taktik übertragen«.[67]

Sie kritisiert, daß »die russischen Sozialisten der Kautskyschen Richtung, die Menschewiki«, das Bündnis mit den Liberalen suchten.[68] Deutlich gibt sie zu erkennen, daß sie Lenin und Trotzki weitaus näher steht als etwa dem Menschewisten Axelrod, dem deutschösterreichischen Unabhängigen Sozialdemokraten Karl Kautsky oder gar dem Mehrheitssozialdemokraten Philipp Scheidemann. Für diese findet sie nur Ausdrücke der Verachtung. Sie beschimpft sie als Opportunisten. Für jene gebraucht sie hingegen Worte der Hochachtung und der Bewunderung:

»In dieser Situation gebührt denn der bolschewistischen Richtung das geschichtliche Verdienst, von Anfang an diejenige Taktik proklamiert und mit eiserner Konsequenz verfolgt zu haben, die allein die Demokratie retten und die Revolution vorwärts treiben konnte. Die ganze Macht ausschließlich in die Hände der Arbeiter- und Bauernmasse, in die Hände der Sowjets - dies war in der Tat der einzige Ausweg aus der Schwierigkeit, in die die Revolution geraten war, das war der Schwertstreich, womit der gordische Knoten durchhauen, die Revolution aus dem Engpaß hinausgeführt und vor ihr das freie Brachfeld einer ungehemmten weiteren Entfaltung geöffnet wurde.

Die Lenin-Partei war somit die einzige in Rußland, welche die wahren Interessen der Revolution in jener ersten Periode begriff, sie war ihr vorwärtstreibendes Element, als in diesem Sinne die einzige Partei, die wirklich sozialistische Politik treibt.«[69]

»Die Lenin-Partei war die einzige, die das Gebot und die Pflicht einer wirklich revolutionären Partei begriff, die durch die Losung:

alle Macht in die Hände des Proletariats und des Bauerntums, den Fortgang der Revolution gesichert hat.«[70]

»Die Bolschewiki haben auch sofort als Zweck dieser Machtergreifung das ganze und weitgehendste revolutionäre Programm aufgestellt: nicht etwa Sicherung der bürgerlichen Demokratie, sondern Diktatur des Proletariats zum Zwecke der Verwirklichung des Sozialismus. Sie haben sich damit das unvergängliche geschichtliche Verdienst erworben, zum erstenmal die Endziele des Sozialismus als unmittelbares Programm der praktischen Politik zu proklamieren.

Was eine Partei in geschichtlicher Stunde an Mut, Tatkraft, revolutionärem Weitblick und Konsequenz aufzubringen vermag, das haben Lenin, Trotzki und Genossen vollauf geleistet. Die ganze revolutionäre Ehre und Aktionsfähigkeit, die der Sozialdemokratie im Westen gebrach, war in den Bolschewiki vertreten. Ihr Oktober-Aufstand war nicht nur eine tatsächliche Rettung für die russische Revolution, sondern auch eine Ehrenrettung des internationalen Sozialismus.«[71]

Dies sind Worte der Bewunderung, die gar zu gerne übersehen oder unterschlagen werden, wenn von Rosa Luxemburgs Schrift über die russische Revolution die Rede ist. Dies ist mehr als eine höfliche Verbeugung. Die Sätze zeigen, daß Rosa Luxemburgs Schrift eben nicht als eine antibolschewistische Polemik verstanden oder benutzt werden kann.

Rosa Luxemburgs Kritik an Lenin und Trotzki wurzelt in ihrer antiautoritären Einstellung, in ihrer Abneigung gegen die Idolisierung von Personen und gegen die plumpe Nachahmung bestimmter Taten. Sie betont deshalb, »daß nicht kritikloses Apologetentum«, sondern nur eingehende Kritik imstande ist, »die Schätze an Erfahrungen und Lehren zu heben« und daß es »eine wahnwitzige Vorstellung« sei, »alles, was in Rußland getan und gelassen wurde«, für den »Gipfel der Vollkommenheit« zu halten.[72] Man müsse bedenken, »daß Lenin und Trotzki auf ihrem dornenvollen, von Schlingen aller Art umstellten Weg gar manchen entscheidenden Schritt nur unter größten inneren Zweifeln und mit dem heftigsten inneren Widerstreben taten und daß ihnen selber nichts ferner liegen kann, als all ihr unter dem bittern Zwange und Drange in gärendem Strudel der Geschehnisse eingegebenes Tun und Lassen von der Internationale als erhabenes

Muster der sozialistischen Politik hingenommen zu sehen, für das nur kritiklose Bewunderung und eifrige Nachahmung am Platze wäre«.[73] Deshalb gelte der Grundsatz: »Sich kritisch mit der russischen Revolution in allen historischen Zusammenhängen auseinandersetzen, ist die beste Schulung der deutschen wie der internationalen Arbeiter für die Aufgaben, die ihnen aus der gegenwärtigen Situation erwachsen.«[74] Keineswegs würde eine kritische Sichtung das Ansehen der russischen Proletarier untergraben.

Rosa Luxemburgs Kritik an Lenin und Trotzki erfolgt von einem rigoros sozialistischen Standort aus, ja man kann sogar sagen: von einer noch linkeren Position aus. Dies zeigt sich insbesondere in der Agrarfrage. Rosa Luxemburg lehnt Lenins Parole »Alles Land den Bauern« und die Überführung des Großbesitzes in bäuerlichen Grundbesitz ab. Der Kleinbetrieb sei im Gegensatz zum Großbetrieb nicht den technischen Anforderungen der Zeit gewachsen. Durch die Landaufteilung würden die »Eigentumsunterschiede auf dem Lande nicht beseitigt, sondern nur verschärft«.[75] Lenins Agrarpolitik türme »vor der Umgestaltung der Agrarverhältnisse im sozialistischen Sinne unüberwindliche Schwierigkeiten auf«.[76] Es bestehe ein Widerspruch darin, daß Lenin zwar Zentralisation in der Industrie und Nationalisierung der Banken, des Handels und der Industrie durchführe, aber andererseits Dezentralisation und Privateigentum von Grund und Boden begünstige. Er habe sein eigenes Agrarprogramm aus der Zeit vor der Revolution über Bord geworfen und die Losungen der spontanen Bauernbewegung übernommen. Seine Politik verschärfe den Gegensatz von Stadt und Land, obgleich doch die Vereinigung der Industrie und der Landwirtschaft das sozialistische Ziel sein müsse. Rosa Luxemburg räumt ein, daß Lenin das Vorbild des französischen Parzellenbauern, des tapferen Verteidigers der Französischen Revolution und ihrer Errungenschaften, vorgeschwebt haben mag. Aber in Rußland sei die Lage ganz anders. Dort stehe »eine enorm angewachsene und starke Masse des besitzenden Bauerntums« als Feind der sozialistischen Politik gegenüber. »Die Leninsche Agrarreform hat dem Sozialismus auf dem Lande eine neue mächtige Volksschicht von Feinden geschaffen, deren Widerstand viel gefährlicher und zäher sein wird, als es derjenige der adligen Großgrundbesitzer war.«[77] Die spätere sowjetrussische Agrarpolitik ist bei der

Einführung von Kolchosen wie bei dem Vorgehen gegen die Kulaken von ähnlichen Thesen wie Rosa Luxemburg ausgegangen - mögen auch Stalins Methoden keineswegs im Sinne Rosa Luxemburgs gewesen sein.

Im Gegensatz zu Lenin steht Rosa Luxemburg auch in der Nationalitätenfrage. Sie mißbilligt »das sogenannte Selbstbestimmungsrecht der Nationen oder, was unter dieser Phrase in Wirklichkeit steckte: den staatlichen Zerfall Rußlands.«[78] Das Selbstbestimmungsrecht ist für sie »nichts als hohle kleinbürgerliche Phraseologie und Humbug.«[79] Sie sieht die Nationalitätenpolitik Lenins als reine Opportunitätspolitik an, um die vielen Völker des Zarenreiches an die Sache der Revolution zu binden. Aber das genaue Gegenteil sei eingetreten: Finnland, Polen, die baltischen Länder und die Länder des Kaukasus gebrauchten ihre Freiheit, um sich zu Todfeinden der russischen Revolution zu erklären und um konterrevolutionäre Klassenpolitik zu betreiben. Heftig sind die Vorwürfe Rosa Luxemburgs an die Adresse der Bolschewiki wegen deren Haltung in der Nationalitätenfrage; in dieser Sache engagiert sie sich noch mehr als in der Frage von Diktatur und Demokratie.

Die Bolschewiki hätten »die Massen in allen Randländern durch ihre Parole verwirrt und der Demagogie der bürgerlichen Klasse ausgeliefert«, ja sie hätten sogar »den eigenen Feinden das Messer in die Hand gedrückt, das sie der russischen Revolution ins Herz stoßen sollten.«[80] Sie hätten Wasser auf die Mühlen der Konterrevolution geleitet und die Ideologie zur Maskierung des konterrevolutionären Feldzuges geliefert. Die »Phrase von der Selbstbestimmung« bezeichnet Rosa Luxemburg als »die größte Gefahr für den internationalen Sozialismus.«[81] Es sei ein »warnendes Exempel« für das internationale Proletariat, daß sich die Bolschewiki in den Stacheln der konterrevolutionären Phraseologie »verfangen und blutig ritzen sollten«.[82] Nicht in der Frage von sozialistischer Demokratie, sondern in der Meinungsverschiedenheit über das Selbstbestimmungsrecht der Nationen sieht also Rosa Luxemburg den gravierendsten Gegensatz zwischen sich und Lenin! Viele Nationen, die nach 1917 von ihrem Recht der Sezession Gebrauch gemacht hatten, sind später wieder von der Sowjetunion annektiert worden. Rosa Luxemburg hätte sicherlich nicht die Praktiken expansiver Machtpolitik gebilligt. Aber durch ihre Schrift über die russische Revolution rechtfertigte sie doch indirekt eine großrussische Politik gegenüber den kleineren Völkern des früheren Zarenreiches. Es ist deswegen für antikommunistische Demokraten ein höchst fragwürdiges Unterfangen, Rosa Luxemburg gegen Lenin ausspielen zu wollen.

Bekannt geworden sind Rosa Luxemburgs Äußerungen über die Beziehung von Demokratie und Diktatur. Sie kritisiert, daß Lenin im November 1917 die konstituierende Versammlung mit Gewalt auseinanderjagen und keine Neuwahlen ausschreiben ließ. Sie widerspricht Trotzkis Auffassung, daß die demokratische Körperschaft stets nur das Spiegelbild der Masse vom Wahltage sei und weist darauf hin, daß vielmehr die Revolution »durch ihre Gluthitze jene dünne, vibrierende, empfängliche politische Luft« schaffe, »in der die Wellen der Volksstimmung, der Pulsschlag des Volkslebens augenblicklich in wunderbarster Weise auf die Vertretungskörperschaften einwirken.«[83] Die lebendige Bewegung der Masse könne durch unausgesetzten Druck eine kräftige Korrektur der demokratischen Institutionen und ihres oft schwerfälligen Mechanismus bewirken. Trotzki und Lenin würden nicht nur die demokratischen Institutionen, sondern die Demokratie überhaupt abschaffen: »Gewiß, jede demokratische Institution hat ihre Schranken und Mängel, was sie wohl mit sämtlichen menschlichen Institutionen teilt. Nur ist das Heilmittel, das Trotzki und Lenin gefunden: die Beseitigung der Demokratie überhaupt, noch schlimmer als das Übel, dem es steuern soll: es verschüttet nämlich den lebendigen Quell selbst, aus dem heraus alle angeborenen Unzulänglichkeiten der sozialen Institutionen allein korrigiert werden können. Das aktive, ungehemmte, energische politische Leben der breitesten Volksmassen.«[84]

Weiterhin beanstandet sie das von den Bolschewiki ausgearbeitete Wahlrecht. Da Lenin und Trotzki die aus allgemeinen Wahlen hervorgegangenen Volksvertretungen grundsätzlich ablehnten und sich nur auf die Sowjets stützten, erscheine dieses Wahlrecht als ein theoretisches Produkt vom grünen Tisch. Da das nachrevolutionäre Rußland nicht allen, die den ehrlichen Arbeitswillen besäßen, »ein auskömmliches, kulturwürdiges Leben von eigener Arbeit«[85] ermöglichen könne, sei es unsinnig und nicht vertretbar, nur denjenigen das Wahlrecht zu verleihen, die von eigener Arbeit lebten. »Der Tendenz nach soll es die Ausbeuter allein politisch rechtlos machen ... In Wirklichkeit macht es rechtlos breite und wachsende Schichten des Kleinbürgertums und des Proletariats, für die der wirtschaftliche Organismus keinerlei Mittel zur Ausübung des Arbeitszwanges vorsieht. Das ist eine Ungereimtheit, die das Wahlrecht als ein utopisches, von der sozialen Wirklichkeit losgelöstes Phantasieprodukt qualifiziert. Und gerade deshalb ist es kein ernsthaftes Werkzeug der proletarischen Diktatur.«[86]

Rosa Luxemburg beschränkt sich nicht auf Wahlrecht und Volksversammlung. Ihre Kritik geht weiter: »Doch mit der konstituierenden Versammlung und dem Wahlrecht ist die Frage nicht erschöpft: es kam nicht nur Abschaffung der wichtigsten demokratischen Garantien eines gesunden öffentlichen Lebens und der politischen Aktivität der arbeitenden Massen in Betracht: der Pressefreiheit, des Vereins- und Versammlungsrechts, ohne die alle Gegner der Sowjetregierung vogelfrei geworden sind. Für diese Eingriffe reicht die obige Argumentation Trotzkis über die Schwerfälligkeit der demokratischen Wahlkörper nicht entfernt aus. Hingegen ist es eine offenkundige, unbestreitbare Tatsache, daß ohne freie, ungehemmte Presse, ohne ungehindertes Vereins- und Versammlungsleben gerade die Herrschaft breiter Volksmassen völlig undenkbar ist.«[87]

Und an anderer Stelle bemerkt sie zu der gleichen Angelegenheit: »Lenin und Trotzki haben an Stelle der aus allgemeinen Volkswahlen hervorgegangenen Vertretungskörperschaften die Sowjets als die einzige wahre Vertretung der arbeitenden Massen hingestellt. Aber mit dem Erdrücken des politischen Lebens im ganzen Lande muß auch das Leben in den Sowjets immer mehr erlahmen. Ohne allgemeine Wahlen, ungehemmte Presse- und Versammlungsfreiheit, freien Meinungskampf erstirbt das Leben in jeder öffentlichen Institution, wird zum Scheinleben, in der die Bürokratie allein das tätige Element bleibt. Das öffentliche Leben schläft allmählich ein, einige Dutzend Parteiführer von unerschöpflicher Energie und grenzenlosem Idealismus dirigieren und regieren, unter ihnen leitet in Wirklichkeit ein Dutzend hervorragender Köpfe, und eine Elite der Arbeiterschaft wird von Zeit zu Zeit zu Versammlungen aufgeboten, um den Reden der Führer Beifall zu klatschen, vorgelegten Resolutionen einstimmig zuzustimmen, im Grunde also eine Cliquenwirtschaft - eine Diktatur allerdings, aber nicht die Diktatur des Proletariats, sondern die Diktatur einer Handvoll Politiker, d. h. Diktatur im bürgerlichen Sinne, im Sinne der Jakobiner-Herrschaft (das Verschieben der Sowjet-Kongresse von drei Monaten auf sechs Monate!). Ja noch weiter: solche Zustände müssen eine Verwilderung des öffentlichen Lebens zeitigen: Attentate, Geiselerschießungen usw.«[88]

Merkwürdig zwiespältig ist übrigens Rosa Luxemburgs Urteil über das Jakobinertum! Hier an dieser Stelle gebraucht sie »Jakobiner-Herrschaft« noch im negativen Sinne. Im zweiten Teil ihrer Schrift spottet sie hingegen über »Kautsky und seine russischen Gesinnungsgenossen«, die sich zur ersten Phase der russischen Revolution bekennen und die zweite ablehnen. Sie glichen den Liberalen des 19. Jahrhunderts, die zwischen der guten girondistischen Zeit und der schlechten jakobinischen Zeit nach der französischen Revolution unterschieden. Rosa Luxemburg verhehlt dabei nicht ihre Bewunderung für die Jakobiner: »Die Machtergreifung der Jakobiner erwies sich hier nach vierjährigen Kämpfen als das einzige Mittel, die Errungenschaften der Revolution zu retten, die Republik zu verwirklichen, den Feudalismus zu zerschmettern, die revolutionäre Verteidigung nach innen wie nach außen zu organisieren, die Konspiration der Konterrevolution zu erdrücken, die revolutionäre Welle aus Frankreich über ganz Europa zu verbreiten.«[89]

Immer wieder werden Rosa Luxemburgs nahezu klassisch gewordenen Sätze zitiert: »Freiheit nur für die Anhänger der Regierung, nur für die Mitglieder einer Partei - mögen sie noch so zahlreich sein - ist keine Freiheit. Freiheit ist immer nur Freiheit des anders Denkenden.«[90]

Lenin und Trotzki einerseits und Kautsky andererseits würden den Fehler begehen, Demokratie und Diktatur als Gegensätze zu betrachten und gegeneinander auszuspielen. Kautsky entscheide sich hierbei für die bürgerliche Demokratie. Lenin und Trotzki optierten hingegen »für die Diktatur im Gegensatz zur Demokratie und damit für die Diktatur einer Handvoll Personen, d. h. für Diktatur nach bürgerlichem Muster.«[91] Beides sei falsch. Rosa Luxemburg befürwortet »an Stelle der bürgerlichen Demokratie sozialistische Demokratie«, das heißt »Diktatur ... in der *Art der Verwendung der*

Demokratie«[92] gleichbedeutend mit »Diktatur der *Klasse*, nicht einer Partei oder einer Clique«.[93]

Rosa Luxemburg beanstandet auch «die so reichliche Anwendung des Terrors durch die Räteregierung«.[94] Als das »einzige wirksame Mittel in der Hand der proletarischen Revolution« empfiehlt sie: »radikale Maßnahmen politischer und sozialer Natur, rascheste Umwandlung der sozialen Garantien des Lebens der Masse und - Entfachung des revolutionären Idealismus, der sich nur in uneingeschränkter politischer Freiheit durch intensiv aktives Leben der Massen auf die Dauer halten läßt."[95]

Trotz dieser vielen kritischen Anmerkungen läßt Rosa Luxemburg keinen Zweifel an ihrem grundsätzlichen Bekenntnis zur russischen Revolution. Gefährlich werde es nur, wenn Lenin und Genossen versuchten, ihre von fatalen Bedingungen erzwungene Taktik »als das Muster der sozialistischen Taktik zur Nachahmung« zu empfehlen.[96] Im letzten Absatz ihres Aufsatzes spricht sie noch einmal Lenin und Trotzki »das unsterbliche geschichtliche Verdienst« zu, »mit der Eroberung der politischen Gewalt und der praktischen Problemstellung der Verwirklichung des Sozialismus dem internationalen Proletariat vorangegangen zu sein und die Auseinandersetzung zwischen Kapital und Arbeit in der ganzen Welt mächtig vorangetrieben zu haben.«[97] Rosa Luxemburg schließt mit den folgenden Sätzen einer von Skepsis gedämpften Anerkennung des Bolschewismus: »In Rußland konnte das Problem nur gestellt werden. Es konnte nicht in Rußland gelöst werden. Und in *diesem* Sinne gehört die Zukunft überall dem ›Bolschewismus‹.«[98]

Es ist oftmals - wie etwa von Lenin - behauptet worden, Rosa Luxemburg sei später von dieser Schrift abgerückt. Dies erscheint recht fraglich, denn ihre in der Schrift wiedergegebenen elementaren Grundsätze und Überzeugungen - wie etwa Diktatur einer Klasse (und nicht einer Partei) als Form proletarischer Demokratie und kritische Bewunderung für die russische Revolution ohne blinde Nachahmung - hat sie niemals aufgegeben. Sie wandte sich ja auch - erfolglos - gegen diejenigen Spartakisten, die durch den Namen »Kommunistische Partei« die enge Bindung an den russischen Bolschewismus betonen wollten. In einem Punkte scheint später aber doch ein Sinneswandel eingetreten zu sein. In der Schrift über die russische Revolution kritisiert sie noch Lenin wegen der Auflösung der Konstituante und wegen der Einschränkung des Wahlrechtes. In dem am 14. Dezember 1918 veröffentlichten Programm »Was will der Spartakusbund?« fordert sie die Beseitigung aller Parlamente und Gemeinderäte und Übernahme ihrer Funktionen durch Arbeiter- und Soldatenräte beziehungsweise durch deren Ausschüsse und Organe. Hierbei sollte - wie wir gesehen haben - das Wahlrecht auf die erwachsene Arbeiterschaft beider Geschlechter und auf die Mannschaften - »unter Ausschluß der Offiziere und Kapitulanten« - beschränkt bleiben.

Um das Vermächtnis Rosa Luxemburgs

Mit der Ermordung Rosa Luxemburgs, Karl Liebknechts und Leo Jogiches' durch eine mörderische Soldateska verlor die junge KPD bereits in ihren Anfängen ihre profiliertesten Persönlichkeiten. Ihr Tod signalisierte den langsamen und unaufhaltsamen Abstieg der Partei. Der Politikwissenschaftler Hermann Weber schreibt hierzu: »Die Begründer, Luxemburg und Liebknecht, werden im Urteil der Geschichte als große Persönlichkeiten mit klarem Geist, edlem Wollen und lauterem Charakter bestehen können. Paul Levi und Ernst Meyer waren kluge politische Führer, Brandler und Thalheimer ehrbare Handwerker der politischen Organisation. Die auf sie folgenden Ruth Fischer und Arkadij Maslow waren effektvolle Agitationsredner. Thälmann muß bei allem Respekt für seine Standhaftigkeit in Hitlers Kerker nachgesagt werden, daß er nur ein Provinzpolitiker mit demagogischem Talent gewesen ist. Der Abstieg der KPD ist symptomatisch für einen Prozeß, der sich zunächst ganz im stillen abspielte: für die immer festere Beherrschung der Partei durch ihren Apparat, d. h. durch die hauptamtlichen, von der Partei bezahlten Funktionäre. Der Apparat wiederum kam - mehr als die eigentliche Partei - in eine immer stärkere, nicht zuletzt auch materiell bedingte Abhängigkeit von der Moskauer Zentrale ...«[99]

Die Offiziere vom Schlage eines Hauptmann Pabst hatten durch ihren Mord an Rosa Luxemburg nicht etwa - wie sie behaupteten - das christliche Abendland vor dem Bolschewismus bewahrt, sondern vielmehr viel dazu beigetragen, daß die KPD vollständig in den Sog Moskaus geraten konnte.

Rosa Luxemburg galt auch in den ersten Jahren nach ihrem Tod zunächst als unbestrittene geistige Autorität. Viel Staub wirbelte aber 1922 die Veröffentlichung ihrer Gefängnis-Schrift »Die russische Revolution« durch den kommunistischen Abtrünnigen Paul Levi auf. Ein Bewunderer Rosa Luxemburgs antwortet auf diese Publikation mit einer eingehenden Kritik: der aus dem Ungarn eines Admiral Horthy emigrierte und vorwiegend in deutscher Sprache schreibende marxistische Literaturhistoriker und Philosoph Georg Lukács. Er äußert zwar in der Einleitung zu seinem Werk »Geschichte und Klassenbewußtsein«, daß »Rosa Luxemburg der einzige Schüler von Marx gewesen ist, der sein Lebenswerk sowohl im *sachlich-ökonomischen* wie im *methodisch-ökonomischen* Sinne wirklich weitergeführt und in dieser Hinsicht an den gegenwärtigen Stand der gesellschaftlichen Entwicklung *konkret* angeknüpft hat.«[100] Lukács hebt ebenso die »sachlich-ökonomische Richtigkeit der Akkumulationstheorie« hervor.[101] Er legt auch sehr objektiv den Unterschied zwischen Rosa Luxemburg und Lenin in der Stellungnahme zum »Opportunismus« dar und bewahrt sie vor dem Vorwurf, eine Halbmenschewistin gewesen zu sein: »Der Gegensatz zwischen Lenin und Rosa Luxemburg bestand also darin: ob der Kampf gegen den Opportunismus, worin sie politisch und prinzipiell einig waren, ein *geistiger* Kampf *innerhalb* der revolutionären Partei des Proletariats sei, oder ob dieser Kampf sich auf dem Felde der *Organisation* zu entscheiden habe? Rosa Luxemburg bekämpft letztere Auffassung. Erstens weil sie in der zentralen Rolle, die die Bolschewiki den Organisationsfragen als Garantien des revolutionären Geistes in der Arbeiterbewegung zuschreiben, eine Übertreibung erblickt. Sie ist im Gegenteil der Ansicht, daß das wirklich revolutionäre Prinzip ausschließlich in der elementaren Spontaneität der Masse zu suchen sei. Die zentralen Parteiorganisationen haben ihr gegenüber stets eine konservative, hemmende Funktion.«[102] Gleichzeitig betont er, daß Rosa Luxemburg »in allen politisch-taktischen Fragen mit den Bolschewiki gegen ihre opportunistischen Gegner ging« und daß sie »nicht nur der eindringlichste und eifrigste, sondern auch der tiefste und radikalste Entlarver eines jeden Opportunismus gewesen« sei.

Nur *»in der Methode seiner Bekämpfung«* sei sie andere Wege gegangen.[103] Georg Lukács' Bewunderung für Rosa Luxemburg hindert ihn aber nicht daran, ihr - im Anschluß an die Lektüre ihrer Gefängnisschrift über die russische Revolution - »Überschätzung *des organischen Charakters* der geschichtlichen Entwicklung«[104] und *»Überschätzung der spontanen, der elementaren Kräfte der Revolution«* vorzuwerfen.[105]

Lenin versuchte 1922 nach der Publikation ihrer Schrift »Die russische Revolution« scharf zu unterscheiden zwischen ihren Fehlern und ihrem geistig-moralischen Rang, der auch für ihn feststand. Er wählte das Gleichnis vom Adler und dem Huhn aus der russischen Fabel: »Ein Adler kann wohl manchmal auch tiefer hinabsteigen als das Huhn, aber nie kann ein Huhn in solche Höhen steigen wie ein Adler. Rosa Luxemburg irrte in der Frage der Unabhängigkeit Polens; sie irrte 1903 in der Beurteilung des Menschewismus; sie irrte in der Theorie der Akkumulation des Kapitals; sie irrte, als sie im Juli 1914 neben Plechanow, Vandervelde, Kautsky u. a. für die Vereinigung der Bolschewiki mit den Menschewiki eintrat; sie irrte in ihren Gefängnisschriften von 1918 (wobei sie selbst beim Verlassen des Gefängnisses Ende 1918 und Anfang 1919 ihre Fehler zum großen Teil korrigierte). Aber trotz aller dieser ihrer Fehler war und bleibt sie ein Adler.«[106]

In der kommunistischen Orthodoxie und Bürokratie der kommenden Jahre wurde Rosa Luxemburgs Organisationsmodell häufig als sozialdemokratisch verketzert. Als Stalin 1931 in einem geharnischten Brief an die Redaktion der Zeitschrift »Proletarskaja Rewoluzija« entschieden gegen die Veröffentlichung eines vermeintlich parteifeindlichen und halbtrotzkistischen Artikels protestierte, da attackierte er auch den von Rosa Luxemburg und anderen verkörperten linken Flügel der deutschen Sozialdemokratie in der Vorkriegszeit: »Sie ersannen ein utopisches und halbmenschewistisches Schema, das der permanenten Revolution (ein Zerrbild des Marxschen Revolutionsschemas), durchdrungen von einer durch und durch menschewistischen Verneinung der Politik des Bündnisses der Arbeiterklasse mit der Bauernschaft, und stellten es dem bolschewistischen Schema der revolutionär-demokratischen Diktatur des Proletariats und der Bauernschaft entgegen. Im weiteren wurde dieses halbmenschewistische Schema der permanenten Revolution von Trotzki (teilweise von Martow) aufgegriffen und zu einer Waffe des Kampfes gegen den Leninismus gemacht.«[107] Stalin konzedierte zwar, daß die »Linken in Deutschland ... auch große und ernste revolutionäre Taten aufzuweisen« hatten. Aber sie hätten sich nicht vom »menschewistischen Ballast befreit« und bedurften »daher der ernstesten Kritik von seiten der Bolschewiki«.[108] Ein Jahr vor Hitlers Machtergreifung, als die Nationalsozialisten zur stärksten Partei des Reichstages wurden, hatte der deutsche KP-Chef Ernst Thälmann nichts wichtigeres zu tun, als den Ketzerhammer gegen die Häresie des Luxemburgismus zu schwingen: »Wir müssen also mit aller Klarheit aussprechen: in all den Fragen, in denen *Rosa Luxemburg* eine andere Auffassung als *Lenin* vertrat, war ihre Meinung irrig, so daß die ganze Gruppe der deutschen Linksradikalen in der Vorkriegs- und Kriegszeit sehr erheblich an Klarheit und revolutionärer Festigkeit hinter den Bolschewiki zurückblieb.

Diese Erkenntnis gibt uns erst das Verständnis dafür, warum es in Deutschland *verspätet zur Spaltung* zwischen dem revolutionären Marxismus und den kleinbürgerlichen Opportunisten oder ihren zentristischen Helfershelfern innerhalb der Arbeiterbewegung kam. *Rosa Luxemburgs Fehler* in der Akkumulationstheorie, in der Bauernfrage, in der nationalen Frage, in der Frage des Problems der Revolution, in der Frage der proletarischen Diktatur, in der Organisationsfrage, in der Frage der Rolle der Partei beziehungsweise der Spontaneität der Massen - das alles ergibt *ein System von Fehlern,* die *Rosa Luxemburg* nicht zur vollen Klarheit eines *Lenin* aufsteigen ließen.«[109] Thälmann meinte weiterhin: »Es ist unmöglich, die Fehler Rosa Luxemburgs mit den objektiven Verhältnissen im Deutschland der Vorkriegszeit zu rechtfertigen.«[110] Gleichzeitig wollte Ernst Thälmann jedoch Rosa Luxemburg als Persönlichkeit retten, insbesondere gegenüber jenen, die wie der kommunistische Abtrünnige Brandler und wie die »Sozialistische Arbeiter-Partei« (SAP) das geistige Vermächtnis Rosa Luxemburgs wahrten: »Wir denken *nicht daran,* die Bedeutung *Rosa Luxemburgs, Karl Liebknechts, Franz Mehrings* und der übrigen Genossen, die den linken Flügel in der Vorkriegssozialdemokratie bildeten, abzuschwächen. Wir denken *nicht daran,* diese wahrhaft revolutionären Kämpfer und Führer und ihre guten revolutionären Traditionen zu verleugnen oder gar den sozialdemokratischen, SAP-istischen oder brandleristischen Leichenschändern zu überlassen. *Rosa Luxemburg* und die anderen gehören *zu uns* . . .«[111]

1951 gab das Marx-Engels-Lenin-Institut beim Zentralkomitee der SED zwei Bände mit ausgewählten Reden und Schriften von Rosa Luxemburg heraus. Im Vorwort versuchte der damalige DDR-Staatspräsident Wilhelm Pieck wiederum gemäß der Leninschen Leitlinie zwischen ihrer Persönlichkeit und ihren Irrtümern zu differenzieren: »Darum ist Rosa Luxemburg allen Marxisten teuer, ist sie allen denen teuer, die den Fortschritt auf ihre Fahne geschrieben haben und für eine bessere Zukunft, für die Erkämpfung der kommunistischen Gesellschaftsordnung eintreten. Die Sozialistische Einheitspartei Deutschlands, die einen entschiedenen Kampf gegen jede Erscheinung des Sozialdemokratismus führt, hütet zugleich die besten Traditionen der deutschen Arbeiterbewegung. Sie hütet auch das revolutionäre Erbe Rosa Luxemburgs, ohne dabei vor ihren irrigen Auffassungen in einer Reihe von Grundsatzfragen des Marxismus die Augen zu verschließen.«[112] Als Grundirrtum bezeichnete Pieck »die verhängnisvolle Meinung, daß die Spontaneität der Massen entscheidend sei.«[113] Pieck verstieg sich bei dem Versuch, zwischen Rosa Luxemburg und dem Luxemburgismus zu unterscheiden, sogar zu der Behauptung, sie habe am Schluß ihres Lebens selbst gegen den Luxemburgismus gekämpft: »So wurde Rosa Luxemburg in ihrem letzten stürmischen Lebensabschnitt selbst zur Kämpferin gegen das, was wir als Luxemburgismus bezeichnen.[114] Der Auswahl aus den Schriften wurden kritische Aufsätze über Rosa Luxemburg von Lenin und Stalin vorangestellt. Die Vorsicht der Herausgeber ging allerdings soweit, daß ein Teil der ausführlich kritisierten Schriften dem Leser vorenthalten wurde.

Im selben Jahr erschien erstmals in der DDR »Eine kritische biographische Skizze« über Rosa Luxemburg aus der Feder des führenden SED-Funktionärs Fred Oelßner. Dieses Buch wurde 1956 in der dritten Auflage gedruckt und verschwand dann wegen seines stalinistischen Charakters mehr und mehr im Hintergrund. Der Autor warnte davor, aus Respekt vor der Achtung gebietenden und liebenswerten Persönlichkeit ihre grundlegenden Fehler zu übersehen: »Denn so groß Rosa Luxemburgs Verdienste um die deutsche Arbeiterbewegung waren, so sehr wir uns in Ehrfurcht vor ihrem kämpferischen Leben verneigen, so sehr wir Rosa wegen ihres schonungslosen Kampfes für die Sache der Arbeiter lieben, so dürfen wir nicht vergessen: groß waren auch ihre Irrtümer und Fehler, die die deutsche Arbeiterklasse auf falsche Bahnen lenkten. Wir dürfen vor allem die Augen vor der Tatsache nicht verschließen, daß es sich nicht um einzelne Fehler handelt, sondern um ein ganzes System falscher Auffassungen (den ›Luxemburgismus‹).«[115] Oelßner legte dar, weshalb es notwendig sei, so ausführlich auf Rosa Luxemburgs Irrtümer einzugehen:

»Es mag vielleicht manchen Leser verwundern, daß wir uns heute, mehr als drei Jahrzehnte nach dem Tode Rosa Luxemburgs, so ausführlich mit ihren Fehlern befassen. Doch hat das seine guten Gründe. Sie bestehen nicht nur darin, daß der Luxemburgismus in den Jahren nach der Gründung der Kommunistischen Partei Deutschlands 1918 großen Einfluß in der deutschen Arbeiterbewegung hatte, so daß die Geschichte dieser Periode ohne die kritische Betrachtung der Fehler Rosa Luxemburgs nicht richtig verstanden werden kann. Der Hauptgrund für die ausführliche Behandlung der Fehler Rosa Luxemburgs liegt darin, daß die Feinde der Arbeiterklasse, die Trotzkisten, Brandleristen, SAP-Leute und nicht zuletzt die sozialdemokratischen Ideologen, versuchten und bis auf den heutigen Tag versuchen, die falschen Auffassungen Rosa Luxemburgs für ihr niederträchtiges Handwerk auszunutzen.«[116] Als Hauptirrtümer nannte Oelßner unter anderen: 1. Ihre halbmenschewistische Organisationstheorie. 2. Die Negation der Möglichkeit von nationalen Befreiungskriegen im Zeitalter des Imperialismus. 3. Ihre Theorie von der Weltrevolution und die daraus resultierende Skepsis gegenüber der Möglichkeit, daß der Sozialismus in einem Lande siegen könne. 4. Die Verdrängung der Produktion durch den Austausch als Grundlage der gesellschaftlichen Entwicklung. Oelßner zitierte dabei die ketzerische These Rosa Luxemburgs aus ihrer »Einführung in die Nationalökonomie«: »Der Austausch selbst reguliert nun in mechanischer Weise, gleichsam wie eine Art Pumpwerk, die ganze Wirtschaft: Er schafft zwischen den einzelnen Produzenten ein Band, er zwingt sie zur Arbeit, er regelt ihre Arbeitsteilung, er bestimmt ihren Reichtum und die Verteilung dieses Reichtums. Der Austausch regiert die Gesellschaft.« Rosa Luxemburg verlasse, so meinte Oelßner, mit dieser Darstellung den Boden des Materialismus, und sie gehe zum Idealismus über. Sie stehe im Widerspruch zu Friedrich Engels, der die Produktion und Reproduktion des unmittelbaren Lebens als das in letzter Instanz bestimmende Moment in der Geschichte bezeichnet habe.[117]

Inzwischen ist auch innerhalb der DDR manches in Bewegung geraten. 1970 erschien erstmals eine Gesamtausgabe von Rosa Luxemburgs Schriften in sechs Bänden.

Die an Ost-Berlin und Moskau orientierte »Deutsche Kommunistische Partei« (DKP) berief sich in ihrer Grundsatzerklärung ebenfalls auf Rosa Luxemburg: »... Die Deutsche Kommunistische Partei führt den antiimperialistischen und antifaschistischen Kampf von Karl Liebknecht, Rosa Luxemburg, Ernst Thälmann und Zehntausender Kommunisten und Sozialisten, Demokraten und Christen fort, die im Widerstand gegen Reaktion und Nazidiktatur ihr Leben gaben ...« Es ist jedoch fragwürdig, wenn sich kommunistische Parteien mit einseitiger Bindung an die UdSSR auf Rosa Luxemburg berufen, da ja Rosa Luxemburg schon bei der Formierung des Spartakusbundes zur neuen Partei auf Distanz zum russischen Bolschewismus bedacht war. Rosa Luxemburg wurde zur Symbolfigur eines westlichen, nichtbolschewistischen Kommunismus. Auf sie beriefen sich bereits in den zwanziger Jahren sowohl die rechten als auch die linken Abweichler von Bürokratie und Orthodoxie der KPD. Fast alle kommunistischen Ketzer betrachten sie als Vorbild. Selbst Leo Trotzki, der zu ihren Lebzeiten oft auf ideologischem Kriegsfuß mit ihr stand, erhob nach seinem Bruch mit der russischen KP und seit der Gründung der Vierten Internationale Anspruch auf ihr geistiges Erbe.

Rosa Luxemburg inspirierte die jugoslawischen Ketzer und Schismatiker vom Moskauer Patriarchat. Bezeichnend hierfür war die Rede von Eduard Kardelj im jugoslawischen Parlament, die er elf Monate nach dem Bruch Titos mit Stalin am 28. Mai 1948 hielt. Er machte - angeregt durch Rosa Luxemburgs Schrift »Die russische Revolution« - einen klaren Unterschied zwischen einer bürokratischen Deformation des Sozialismus und der Entwicklung einer sozialistischen Demokratie, und er bezeichnete den bürokratischen Zentralismus als die größte Gefahr für die sozialistische Entwicklung.[118] In der DDR forderte Mitte der fünfziger Jahre der antistalinistische Reformkommunist

Wolfgang Harich, der 1957 wegen »Bildung einer konspirativen staatsfeindlichen Gruppe« zu 10 Jahren Zuchthaus verurteilt wurde, die Erweiterung der marxistischen Theorie u. a. durch die Gedanken Rosa Luxemburgs.[119]

In Polen sprach sich der Reformkommunist Julian Hochfeld dafür aus, Rosa Luxemburgs Gedanken »von der unvermeidlichen Degenerierung der sozialistischen Revolution, wenn in ihrem Verlauf Recht, Freiheit und demokratische Garantien vernichtet oder auch nur stark beschränkt werden", und ihre Warnung vor einer unkritischen Übernahme des russischen Revolutionsmodells zu berücksichtigen.[120]

In Österreich empfahl der nonkonformistische Kommunist Franz Marek seinen Genossen die Lektüre der Schriften Rosa Luxemburgs, die »den Marxisten durch den Reichtum ihres Wissens und die Schönheit ihres Stils, durch die zwingende Logik ihrer Argumentation« fasziniere.[121]

Ebenso befürwortete der DDR-Reformkommunist Robert Havemann Ende 1965 in seinem »Plädoyer für eine neue KPD« ein intensives Studium Rosa Luxemburgs. Bei seinem Versuch, Bedenken gegen die Neugründung einer kommunistischen Partei auszuräumen, führte er aus: »Andererseits stehen einer Neugründung viele ›traditionelle‹ Bedenken der alten Kommunisten entgegen. Bedeutet die Neugründung nicht, der kampferprobten Partei Rosa Luxemburgs und Karl Liebknechts und dem Erbe des von den Nazis erschlagenen Ernst Thälmann untreu zu werden? Ich glaube nicht! Im Gegenteil, die Erneuerung der Partei, die heute unausweichlich auf der Tagesordnung steht, kann und muß sich in vielen entscheidenden Punkten gerade auf Liebknecht und ganz besonders auf Rosa Luxemburg gründen, deren Schriften seit Jahrzehnten von den Stalinisten unterdrückt worden sind. Sie wurden unterdrückt, weil Rosa Luxemburg mit prophetischer Klarheit bereits die ersten gefährlichen Schritte zur Beseitigung der innerparteilichen Demokratie, die später zum Stalinismus führten, erkannt und schärfstens kritisiert hatte ... Die schöpferische Kraft der Spontaneität der Volksmassen, aber auch ihre Blindheit und Ohnmacht zugleich, sind Fragen, die uns heute nicht weniger beunruhigen als vor 50 Jahren Rosa Luxemburg ...«[122]

In Italien bewunderte Lelio Basso, einst Generalsekretär der italienischen sozialistischen Partei PSI und von 1965 bis 1968 Präsident der von der PSI abgesplitterten revolutionär-marxistischen PSIUP, Rosa Luxemburg als paradigmatische marxistische Theoretikerin in der Mitte zwischen Sozialdemokratie und kommunistischer Orthodoxie: »Rosa Luxemburg ist mit Sicherheit einer der wirkungsvollsten und schöpferischsten Fortführer des Marxismus, der nach der bekannten Definition von Engels kein Dogma, sondern Anleitung zur Aktion ist; daher scheint es ganz natürlich, daß ihr Name in den langen Jahren fast vergessen war, als der Marxismus durch den Opportunismus einerseits und den Dogmatismus andererseits verzerrt wurde ...«[123]

In der Bundesrepublik wurde Rosa Luxemburg das Idol der revoltierenden Jugend. Rudi Dutschke orientierte sich an ihrem Aktionismus und an ihrem Modell der Räterepublik. Dieses stellte er den bürokratisch verhärteten Strukturen der kommunistischen Staaten Osteuropas und dem Leninschen Parteiprinzip gegenüber. Auch viele Angehörige der SPD-Jugendorganisation, der Jungsozialisten (die häufig auch reformistische Kommunisten sind), bekennen sich zu Rosa Luxemburg. Für viele ist Rosa Luxemburg »die kühnste und menschlichste Mittlerin zwischen Ost und West«[124] - wie ihr Biograph und Bewunderer Helmut Hirsch sie nannte.

Karl Liebknecht

Der Sohn Wilhelm Liebknechts

»Wer hat uns verraten? - Sozialdemokraten! - Wer hat recht? Karl Liebknecht!« skandieren gerne die Anhänger der Neuen Linken. Peter Brandt berief sich auf Karl Liebknecht, als er die Jugend verklärend und schwärmerisch als »Motor« und »Flamme« der Revolution pries.[1] Schon vor Jahren hatte sich eine West-Berliner Gruppe der sozialistischen Jugend »Die Falken« nach Karl Liebknecht benannt. Sein theoretischer Einfluß auf die Neue Linke ist weitaus geringer als derjenige Rosa Luxemburgs. Seine wenig bekannte, aus dem Nachlaß veröffentlichte Schrift »Studien über die Bewegungsgesetze der gesellschaftlichen Entwicklung« wurde - wie Wilfried Gottschalch nachweist - von Plotin, Cusanus, Giordano Bruno, Spinoza, Lessing und Goethe beeinflußt; sie verrät eine gewisse lebensphilosophische Orientierung und kritisiert vom vitalistischen Standpunkt aus die Wirtschaftstheorien von Karl Marx.[2] In gewisser Hinsicht kann der élan vital und der Juventismus der jungen Linken, das heißt ihre Verherrlichung der Jugend, auf Liebknechts Denken zurückgeführt werden. Im ganzen ist aber die Inspiration, die von Karl Liebknecht ausgeht, mehr moralischer als philosophischer Natur. In diesem Sinne gilt er - in etwas schwächerem Maße als seine Mitstreiterin - ebenfalls als Vorbild, Heros und Mythos.

Karl Liebknechts Leben vom 13. August 1871 (in Leipzig) bis zum 15. Januar 1919 (in Berlin) umfaßte fast die ganze Zeitspanne des von Bismarck geschaffenen Kaiserreiches. Werfen wir darum einen kurzen Blick auf die historische Kulisse, die seine Geburtsstätte umrahmte. Er wurde im selben Jahr wie Rosa Luxemburg und wie der von beiden erbittert bekämpfte Sozialdemokrat Friedrich Ebert geboren. Ein Jahr vor ihm kam Wladimir Iljitsch Uljanow, der unter dem Namen Lenin in die Geschichte einging, zur Welt. Vier Jahre vor Karl Liebknechts Geburt vollendete Karl Marx den ersten Band seines »Kapitals«.

Der deutsch-französische Krieg vom 19. Juli 1870 (Tag der Kriegserklärung Frankreichs an Preußen, dem wider Erwarten Napoleons III. auch die süddeutschen Staaten beisprangen) bis zum 26. Februar 1871 (Tag des Vorfriedens von Versailles) hatte die nord- und süddeutschen Staaten eng zusammengeführt und Bismarcks Konzept einer kleindeutschen Einigung unter Ausschluß Österreichs erleichtert. Das Deutsche Reich wurde ein Fürstenbund und kam durch eine Revolution von oben - nicht durch eine demokratische Revolution von unten - zustande.

Es war Ludwig II. von Bayern, der auf Wunsch Bismarcks dem preußischen Monarchen den Kaisertitel anbot und (für die Zusicherung einer beträchtlichen Jahrespension) einen von dem Kanzler konzipierten Kaiserbrief an Wilhelm I. von Preußen absandte. Am 18. Januar 1871 wurde dieser im Spiegelsaal des Schlosses von Versailles zum Deutschen Kaiser ausgerufen. War die Kaiserproklamation wie vorher die entscheidende Schlacht von Sedan ein Ereignis, welches für die neudeutsche Rechte - und nicht so sehr für die altpreußischen Konservativen, die wie Wilhelm I. in der Kaiserwürde vielfach eine Verdunkelung der preußischen Königskrone sahen - gleichsam mythenbildende Kraft hatte, so zählte der zur Kommune führende Arbeiteraufstand in Paris (März bis Mai 1871), der erst nach zweimonatlicher Belagerung und einwöchigem Barrikadenkampf niedergeschlagen werden konnte, zu jenen Fakten, an denen sich immer wieder Begeisterung, Leidenschaft und Fantasie der sozialistischen Linken entzündeten.

Insbesondere durch die etwas idealisierende Darstellung von Karl Marx wurde die Kommune zum Symbol und Vorbild für viele Kommunisten und radikale Sozialisten: »Am Morgen des 18. März 1871 wurde Paris geweckt durch den Donnerruf: ›Es lebe die Kommune!‹ Was ist die Kommune, diese Sphinx, die den Bourgeoisverstand auf so harte Proben setzt? . . . Die Kommune bildete sich aus den durch allgemeines Stimmrecht in den verschiedenen Bezirken von Paris gewählten Stadträten. Sie waren verantwortlich und jederzeit absetzbar. Ihre Mehrzahl bestand selbstredend aus Arbeitern oder anerkannten Vertretern der Arbeiterklasse. Die Kommune sollte nicht eine parlamentarische, sondern eine arbeitende Körperschaft sein, vollziehend und gesetzgebend zu gleicher Zeit. Die Polizei, bisher das Werkzeug der Staatsregierung, wurde sofort aller ihrer politischen Eigenschaften entkleidet und in das verantwortliche und jederzeit absetzbare Werkzeug der Kommune verwandelt. Ebenso die Beamten aller anderen Verwaltungszweige. Von den Mitgliedern der Kommune an abwärts, mußte der öffentliche Dienst für *Arbeiterlohn* besorgt werden. Die erworbenen Anrechte und die Repräsentationsgelder der hohen Staatswürdenträger verschwanden mit diesen Würdenträgern selbst. Die öffentlichen Ämter hörten auf, das Privateigentum der Handlanger der Zentralregierung zu sein. Nicht nur die städtische Verwaltung, sondern auch die ganze, bisher durch den Staat ausgeübte Initiative wurde in die Hände der Kommune gelegt.

Das stehende Heer und die Polizei, die Werkzeuge der materiellen Macht der alten Regierung einmal beseitigt, ging die Kommune sofort darauf aus, das geistliche Unterdrückungswerkzeug, die Pfaffenmacht, zu brechen; sie dekretierte die Auflösung und Enteignung aller Kirchen, soweit sie besitzende Körperschaften waren. Die Pfaffen wurden in die Stille des Privatlebens zurückgesandt, um dort, nach dem Bilde ihrer Vorgänger, der Apostel, sich von dem Almosen der Gläubigen zu nähren. Sämtliche Unterrichtsanstalten wurden dem Volke unentgeltlich geöffnet und gleichzeitig von aller Einmischung des Staates und der Kirche gereinigt. Damit war nicht nur die Schulbildung für jedermann zugänglich gemacht, sondern auch die Wissenschaft selbst von den ihr durch das Klassenvorurteil und die Regierungsgewalt auferlegten Fesseln befreit.

Die richterlichen Beamten verloren jene scheinbare Unabhängigkeit, die nur dazu gedient hatte, ihre Unterwürfigkeit unter alle aufeinanderfolgenden Regierungen zu verdecken, deren jeder sie, der Reihe nach, den Eid der Treue geschworen und gebrochen hatten. Wie alle übrigen öffentlichen Diener, sollten sie fernerhin gewählt, verantwortlich und absetzbar sein ...«[3]

Diese Schilderung der Pariser Kommune wirkte inspirierend auf das Rätemodell, welches Karl Liebknecht und Rosa Luxemburg nicht ganz ein halbes Jahrhundert später in die Tat umsetzen wollten.

Auch August Bebel gab - wie Karl Marx - seiner Sympathie für die Pariser Kommune Ausdruck. Mit seiner berühmt gewordenen Reichstagsrede vom 25. Mai 1871 lieferte er Bismarck den Vorwand für die Behauptung, die deutsche Sozialdemokratie verfolge dieselben terroristischen Ziele wie die Kommune-Anhänger in Paris und sei deswegen zu verbieten. Freilich hatte Bismarck im Monat zuvor die Pariser Kommune in einer fast wohlwollenden Weise gedeutet und versucht, sie von den Bestrebungen der »internationalen Revolution« zu trennen.[4]

Brachte der deutsch-französische Krieg auch die langersehnte deutsche Einheit, so lastete doch eine außen- und eine innenpolitische Hypothek auf dem neuen Reich. Die erzwungene Abtretung von Elsaß und Lothringen nach dem Vorfrieden von Versailles und dem Frieden von Frankfurt (10. Mai 1871) machten auf die Dauer eine friedliche Nachbarschaft zwischen Deutschland und Frankreich unmöglich und nährten die Revanchegefühle innerhalb der französischen Bevölkerung. In Deutschland wurden zwar viele nationale Wünsche - von denen der Großdeutschen abgesehen - erfüllt, hingegen viele liberale und demokratische Hoffnungen betrogen. Wohl ging der Reichstag als Träger der Gesetzgebung aus allgemeinen, freien, gleichen und geheimen Wahlen hervor. Aber die eigentliche Souveränität lag bei der Gesamtheit der Fürsten, und der Reichskanzler war nur seinem Monarchen gegenüber verantwortlich. In Preußen bestand weiterhin das Dreiklassenwahlrecht. Der neue Staat, ein Bundesstaat mit eindeutiger Hegemonie Preußens, verstand es nicht, mit seinen vielen Minderheiten zu leben. Das Kuratell über das besondere Reichsland Elsaß-Lothringen, welches 40 Jahre lang keine Repräsentanz im Bundesrat hatte, erschwerte die Integration der dortigen Bevölkerung. Eine rücksichtslose Germanisierung sollte die polnische Sprache in den Ostprovinzen zurückdrängen. Ausnahmegesetze wurden in den frühen 70er Jahren gegen die katholische Kirche erlassen.

Eine besonders hart bekämpfte Minderheit war die junge sozialistische Arbeiterbewegung. Am 23. Mai 1863 hatten sich unter der Führung von Ferdinand Lassalle (1825—64) lokale, meist unpolitische Arbeitervereine zum »Allgemeinen Deutschen Arbeiterverein« zusammengeschlossen. In Konkurrenz zu dieser propreußischen Organisation trat der »Verband deutscher Arbeitervereine«, dessen Führer August Bebel und Wilhelm Liebknecht föderalistisch, antipreußisch und großdeutsch eingestellt waren. Wilhelm Liebknecht, der sich 1865 in Leipzig niedergelassen hatte, scheute sogar nicht die Verbindung zu konservativen sächsischen Partikularisten.

Im Jahre 1869 vereinigten sich der »Verband deutscher Arbeitervereine«, abtrünnige Mitglieder des »Allgemeinen deutschen Arbeitervereins« und einige Mitglieder der radikal-liberalen »Deutschen Volkspartei« zur »Sozialdemokratischen Arbeiterpartei«. Bismarcks scharf antisozialistische Politik, seine Versöhnung mit den Nationalliberalen, das offensichtliche Scheitern der Lassalleschen Konzeption eines Bündnisses von Monarchie und Arbeiterschaft gegen das Bürgertum und der Rücktritt des Präsidenten des Allgemeinen Deutschen Arbeitervereins, Johann Baptist von Schweitzer, erleichterten und ermöglichten 1875 die Fusion der beiden konkurrierenden Arbeiterorganisationen zur »Sozialistischen Arbeiterpartei Deutschlands« auf dem Kongreß von Gotha, wo das bekannte Gothaer Programm verabschiedet wurde.

Wilhelm Liebknecht (1826—1900), der Vater Karl Liebknechts, wurde am 12. Februar 1867 neben August Bebel in den norddeutschen Reichstag gewählt, und er zählte 1869 zu den Mitgründern der Sozialdemokratischen Arbeiterpartei. Bei ihm lebte die Tradition der gescheiterten Revolution von 1848 fort. Gleichzeitig war er mitverantwortlich für die Rezeption Marxschen Denkens durch die Arbeiterbewegung. 1869 sprach er sich gegen Kompromisse mit politischen Gegnern und für den Barrikadenkampf aus: »Die Sozialdemokratie darf unter keinen Umständen und auf keinem Gebiete mit den Gegnern verhandeln. Verhandeln kann man nur, wo eine gemeinsame Grundlage besteht. Mit prinzipiellen Gegnern verhandeln heißt ein Prinzip opfern. Prinzipien sind unteilbar, sie werden entweder ganz bewahrt oder ganz geopfert. Die geringste prinzipielle Konzession ist die Aufgebung des Prinzips: Wer mit Feinden parlamentelt, parlamentiert; wer parlamentiert, paktiert.« Der Sozialismus sei den im Reichstag vertretenen Klassen gegenüber »keine Frage der Theorie«, sondern »eine Machtfrage, die in keinem Parlament, die nur auf der Straße, auf dem Schlachtfelde zu lösen ist, gleich jeder anderen Machtfrage.«[5]

Zwar hoffte Wilhelm Liebknecht später - gleich Bebel -, daß die Partei ihre Ziele auf parlamentarischem Wege erreichen könnte. Andererseits bewahrte er seine Kompromißlosigkeit, seine kämpferische Position und seine parareligiös-chiliastische Zukunftserwartung. So erklärte er 1893 bei der Auseinandersetzung mit dem Reformismus, den er schärfstens ablehnte: »Üppig schießt die Saat empor. Reißend vollzieht sich das ›Hineinwachsen in den Sozialismus‹, wie ich es einmal nannte. Die Geister scheiden sich, die ›letzte Schlacht‹ bereitet sich vor . . . Jeder Tag vernichtet Hunderte von Existenzen, *weiht* Hunderte, die sich bisher mehr dünkten, als Proletarier, dem Hunger und Elend und lehrt sie mit der grimmigen Beredsamkeit der Not, daß im Sozialismus allein das *Heil* ist. So wächst unsere Armee von Tag zu Tag in dem gleichen Maße, wie die der Gegner zusammenschmilzt - die Übermacht der Feinde verschwindet mehr und mehr, und, was auch immer sie tun mögen, der Augenblick rückt unaufhaltsam heran, wo wir die Stärkeren sind und imstande, die Gesellschaft zu retten, indem wir sie von dem Kapitalismus *erlösen.*« [6] Als Mitglied des norddeutschen Reichstages hatte sich Wilhelm Liebknecht gemeinsam mit August Bebel am 21. Juli 1870 bei der Abstimmung über die Kriegsanleihen der Stimme enthalten. Nach der Schlacht von Sedan, der Gefangennahme Napoleons III. und dem Sturz des Kaisertums forderten Bebel und Wilhelm Liebknecht, »daß unter Verzichtleistung auf jede Annexion französischen Gebiets mit der französischen Republik schleunigst Frieden geschlossen werde.«[7]

Am 26. November 1870 lehnten die beiden Sozialisten als einzige Abgeordnete weitere Geldbewilligungen ab. In seiner Ablehnung von Annektionen befand sich Wilhelm Liebknecht in Übereinstimmung mit Karl Marx. Hingegen stand er weitaus feindlicher als Marx und Engels der von Bismarck betriebenen Einheit gegenüber. Friedrich Engels erhoffte sich, wie er am 15. August 1870 an Karl Marx schrieb, von der »Beseitigung des ewigen Krakeels wegen Herstellung der deutschen Einheit« einen Auftrieb für die deutsche Arbeiterbewegung.[8] Wilhelm Liebknecht hingegen stellte im Reichstag unter Hinweis auf die Proklamation der deutschen Einheit im Spiegelsaal von Versailles fest, das Haus Hohenzollern bilde das eigentliche Hindernis für eine wirkliche Einheit Deutschlands, und fügte ironisch hinzu, die Krönung des Kaisers solle auf dem Berliner Gendarmenmarkt stattfinden.[9]

Der Kampf der jungen sozialdemokratischen Partei gegen den

Krieg war folgenreich. Auf Befehl des Oberkommandierenden von Norddeutschland, des Generals Vogel v. Falckenstein, wurde der Braunschweiger Parteiausschuß, der gegen die Fortführung des Krieges und gegen geplante Annexionen protestiert hatte, festgenommen und in der Festung Lötzen interniert. Die liberale Kölnische Zeitung stellte sich daraufhin die Frage »ob nicht dem deutschen Volk an innerer Freiheit verloren gehe, was es an äußerem Ruhm gewonnen«.[10]

August Bebel und Wilhelm Liebknecht wurden im Hochverratsprozeß (11. bis 26. März 1872) vom Leipziger Schwurgericht zu einer zweijährigen Festungshaft verurteilt. Wilhelm Liebknecht erklärte damals vor dem Schwurgericht: »Ein Staat wie das Bismarcksche Preußen-Deutschland ist durch seinen Ursprung mit fatalistischer Notwendigkeit dem gewaltsamen Untergang geweiht. Das Schicksal des französischen Empire, dessen sklavische, jedenfalls nicht verbesserte Kopie es ist, kündet ihm seine Zukunft. Auf dem Schlachtfeld geboren, das Kind des Staatsstreichs, des Krieges und der Revolution von oben, muß es ruhelos von Staatsstreich zu Staatsstreich, von Krieg zu Krieg eilen und entweder auf dem Schlachtfeld zerbröckeln oder der Revolution von unten erliegen. Das ist Naturgesetz.«[11]

Aber der unaufhaltsame Aufstieg der Sozialistischen Arbeiterpartei konnte nicht gebremst werden. Die Zahl der abgegebenen Stimmen wuchs von 102tausend im Jahre 1871 auf 352tausend im Jahre 1874 und auf 493tausend (etwas mehr als 9 Prozent) bei der dritten Reichstagswahl im Jahre 1877. Es zogen in diesem Jahre bereits 12 sozialistische Abgeordnete in den Reichstag.[12]

Obgleich die bestehenden Vereins- und Pressegesetze verschärft angewandt wurden und eine gerichtliche wie polizeiliche Verfolgung von Sozialisten auslösten, wollte Bismarck doch den Weg der Ausnahmegesetzgebung beschreiten. Er scheiterte aber 1874, als er ein dehnbares Pressegesetz beantragte, ebenso wie 1875, als das Strafgesetzbuch durch eine Novelle über die »Aufreizung zum Klassenkampf« ergänzt werden sollte. Selbst die erste Vorlage zum Sozialistengesetz nach dem Attentat von Hödel (dem man keine Verbindung zur Sozialdemokratie nachweisen konnte) auf Kaiser Wilhelm kam am 24. Mai 1878 nicht über die Hürde des Reichstages. Nach dem zweiten Attentat auf Wilhelm I. von Dr. Karl Nobeling - der ebenfalls kein Sozialdemokrat war - löste Bismarck den Reichstag auf und fand nach den Neuwahlen eine gefügigere Mehrheit vor. Dem neuen Reichstag wurde das »Gesetz gegen die gemeingefährlichen Bestrebungen der Sozialdemokratie« vorgelegt, wonach alle sozialdemokratischen, sozialistischen oder kommunistischen Vereine, Versammlungen, Druckschriften, Feste und Demonstrationen verboten bzw. aufgelöst werden sollten. Am 18. Oktober 1878 verabschiedete die Reichstagsmehrheit von Konservativen und Nationalliberalen dieses Gesetz gegen die Stimmen von Zentrum, Fortschrittspartei, Sozialistischer Arbeiterpartei und kleineren Oppositionsgruppen. Nachdem Bismarck durch seine Revolution von oben, durch seine antidynastische Politik gegenüber dem Welfenhaus und anderen deutschen Fürsten dem Konservatismus das Rückgrat herausoperiert hatte, demoralisierte er nun auch die Nationalliberalen, die sich genötigt sahen, wegen einer antisozialistischen Hysterie ihrer liberalen Tradition untreu zu werden und für ein Ausnahmegesetz zu stimmen. Drei Jahre nach Verabschiedung des Sozialistengesetzes wurde auf Grund dieses Gesetzes über Leipzig der kleine Belagerungszustand verhängt. Wilhelm Liebknecht wurde - ebenso wie August Bebel - aus Leipzig ausgewiesen und lebte von nun an im nahegelegenen Borsdorf. Seine Familie blieb in Leipzig zurück und fuhr an Sonn- und Feiertagen sowie während der Schulferien zu ihm.

Im Jahre 1881 konnte zwar ein Stimmenrückgang für sozialdemokratische Reichstagskandidaten konstatiert werden, hingegen hatten die deutschen Sozialisten seit 1884 ständig steigende Stimmenziffern zu verzeichnen. Karl Liebknecht, der 1890 an der Nikolaischule in Leipzig sein Abitur bestand und Ende September nach Berlin übersiedelte, erlebte im gleichen Jahr, daß die Sozialdemokratische Partei nach dem Fall des Sozialistengesetzes mit fast 20 Prozent der abgegebenen Stimmen zur stimmstärksten deutschen Partei anstieg; er mußte es aber auch erleben, daß sein Vater aus dem Parteivorstand herausmanövriert wurde und in den folgenden Jahren - obgleich er Chefredakteur des Parteiblattes »Vorwärts« war - ständig an Einfluß innerhalb der Partei verlor. Von 1890 bis 1893 studierte Karl Liebknecht an den Universitäten Leipzig und Berlin Rechtswissenschaft und Nationalökonomie. Nach dem Referendarexamen leistete er von 1893-94 seine Militärdienstpflicht als »Einjährig-Freiwilliger« bei den Gardepionieren in Berlin ab. Es begann darauf eine zermürbende Suche um eine Referendarstelle für ihn, den Sohn eines verfemten sozialdemokratischen Politikers. Kein Gericht wollte ihn annehmen. Schließlich ermöglichte ihm der frühere preußische Kultusminister Falk die Fortbildung in Arnsberg und Paderborn. 1897 promovierte Karl Liebknecht an der juristischen und staatswissenschaftlichen Fakultät der Universität Würzburg mit der Dissertation »Compensationsvollzug und Compensationsvorbringen nach gemeinem Rechte«. Ihr ließ er 1898 eine weitere juristische Arbeit - »Vorbehaltszahlung und Eventualaufrechnung nach heute geltendem und künftigem Reichsrecht« - folgen. 1899 eröffnete er gemeinsam mit seinem älteren Bruder Theodor in Berlin eine Anwaltspraxis. Bis dahin hatte sich Karl Liebknecht, um seine berufliche Laufbahn nicht zu gefährden, politisch zurückgehalten. Nun, nachdem er als Anwalt Fuß gefaßt hat, beginnt aber seine Tätigkeit innerhalb der Sozialdemokratischen Partei. Insbesondere agitiert er gegen die Flottenvorlage der Reichsregierung. Aber seine Parteiarbeit beschränkt er bis zum Tode seines Vaters am 7. August 1900 auf Berlin.

Drei Monate früher, im Mai 1900, schließt er den Lebensbund mit Julia Paradies, die ihm die drei Kinder Wilhelm, Robert und Vera schenkt und die ihm nach elfjähriger Ehe durch den Tod entrissen wird.

Karl Liebknechts Kampf gegen »Revisionismus« und »Reformismus«

In der politischen Publizistik Karl Liebknechts nahm die Auseinandersetzung mit »revisionistischen« und »reformistischen« Strömungen innerhalb des internationalen Sozialismus einen nicht unbedeutenden Platz ein. Zu seinen Gegnern zählte deshalb der Führer des rechten Flügels der französischen Sozialisten, Jean Jaurès. Mit Liebknecht stimmte dieser zwar in der entschiedenen Ablehnung von Imperialismus und Militarismus überein. Aber Jaurès übertrug - im Gegensatz zu Liebknecht - den Pazifismus auch auf die Innenpolitik. Er versprach sich, ähnlich wie Eduard Bernstein in Deutschland, viel von parlamentarischer Demokratie, von Kompromissen mit dem politischen und sozialen Gegner und von einem schrittweisen Abbau des kapitalistischen Wirtschaftssystems durch soziale Reformen. Jaurès lebte in der Tradition der französischen Aufklärung, insbesondere eines Voltaire - und er war wie dieser bereit, auch für die Meinungsfreiheit eines extrem Andersdenkenden sein Leben zu riskieren. Liebknecht definierte bissig Jaurès' Theorie als »Aufkläricht-Suppe, deren wichtigstes Ingredienz ein oft grundsätzliches Mißverstehen und Verzerren der Marxschen Theorien« sei.[1] Das Charakteristikum von Jaurès' Methode sah Liebknecht »in der besonderen prinzipiellen Wertung und praktischen Betonung gewisser Aktionsformen, zum Beispiel des Genossenschaftswesens«.[2] Er warf ihm »Gottvertrauen auf eine mystische Wunderkraft, genannt ›Demokratie‹ « sowie »Unterschätzung des Gegensatzes zwischen Proletariat und Bourgeoisie, zwischen Sozialismus und Kapitalismus«, eine zu starke »Hoffnung auf friedliche glatte Entwaffnung und Gewinnung der Bourgeoisie oder ganzer Teile von ihr, vor allem durch die Kraft der Überredung« und das »Abschwören der ›Revolution‹, der ›gewaltsamen‹ Aktion« vor.[3]

Liebknecht spöttelte über Jaurès, er wolle »die zartbesaiteten Nasen solcher braven Bourgeois' nach Kräften vor dem Ludergeruch des revolutionären Sansculottismus bewahren; nur nicht vor den Kopf stoßen, in Güte macht sich alles, alles!«[4] Süffisant bemerkte Liebknecht: »Mögen die Gegner zu uns kommen, mögen sie ihre Konzessionen machen - wir weisen sie nicht von der Hand, aber kein Einlullenlassen durch Friedensschalmeien, kein Eiapopeia von der gütigen allmächtigen Göttin Demokratie, keine Abrüstung. Nur unsere ›kriegerische‹ Tüchtigkeit macht uns im sozialen Leben bündnisfähig, vermag uns den Ruprechtsack der politischen, sozialen und wirtschaftlichen Reformen zu öffnen, könnte, wenn überhaupt möglich, zur Abwendung von Katastrophen führen.«[5] War Jaurès ein Rechtssozialist, der 1914 wegen seines Widerstandes gegen den drohenden 1. Weltkrieg von einem Chauvinisten ermordet wurde, so versuchte der deutsche Sozialdemokrat Gustav Noske (1862-1946) den - im Ansatz plausiblen - Brückenschlag zwischen Sozialdemokratie und Heer und machte dabei - um es vorsichtig auszudrücken - militaristischen Tendenzen manchmal zu große Konzessionen.

Auf dem Essener Parteitag vom September 1907 attackierte Karl Liebknecht eine Reichstagsrede Noskes zur Wehrfrage: »Der Schluß der Rede Noskes lautet: ›Wir wünschen, daß Deutschland möglichst wehrhaft ist.‹ So schließt ein Sozialdemokrat eine Rede! In der ganzen Rede Noskes kommt nicht mit einem Worte der Klassenkampfcharakter der Sozialdemokratie zum Ausdruck. Es wird nicht betont, daß wir den Militarismus als ein dem Interesse der herrschenden Klassen dienendes Klasseninstrument bekämpfen. Nicht eine halbe Silbe von internationaler Solidarität, gleich als ob die Aufgaben der Sozialdemokratie an den schwarzweißroten Grenzpfählen aufhörten. Die ganze Rede ist ein fortgesetztes Betonen unseres Patriotismus in einer Art Hurrastimmung. Es fehlt jede Hervorhebung unseres prinzipiellen Standpunktes, und deshalb hat sie mit Recht scharfe Zurückweisung gefunden.« Liebknecht erhielt darauf lebhaften Beifall.[6]

Entschieden wandte sich Karl Liebknecht auch auf dem Magdeburger Parteitag von 1910 gegen den Reformismus innerhalb der SPD. Er attackierte hier insbesondere den Agrarexperten Eduard David, der sich für die bäuerlichen Klein- und Mittelbetriebe einsetzte und ihnen im Gegensatz zum orthodoxen Marxismus eine weitere Chance voraussagte -, wie andererseits die Genossen aus Baden, die wie der Delegierte Kolb die Zustimmung der dortigen Sozialdemokratie zum Budget verteidigten. Liebknechts Rhetorik kannte ebenso schneidenden Sarkasmus wie leise ironische Anspielungen: »Es wird in der Bibel erzählt, daß ein Knabe auszog - er hieß nicht David (Heiterkeit) -, um einen Esel zu suchen, und er fand ein Königreich. Nachdem uns hier vom Genossen Kolb die künftige Ministerherrlichkeit von Baden so hoch gepriesen worden ist, scheint mir, als ob manche ausgingen, um ein Großherzogtum zu erobern, die vielleicht statt dessen einen Esel finden werden.« Darauf entstand Unruhe unter den süddeutschen Delegierten.[7]

Zum Schluß seiner Rede sprach er sich eindeutig für Parteidisziplin und für einen möglichen Parteiausschluß von süddeutschen reformistischen Kräften aus. Hierbei brach bei Liebknecht wieder das kämpferische Pathos hervor: »Es ist erstaunlich, daß man hier ein so geringes Gefühl für die Parteidisziplin hat. Ich bin ja sozusagen im Parteileben aufgewachsen, ich habe sie mit der Muttermilch eingesogen, und aus frühester Kindheit klingt es mir in den Ohren aus dem Munde meines Vaters: Eins tut not: Disziplin; die Disziplin ist der Stolz der deutschen Sozialdemokratie, ohne Disziplin kein erfolgreicher politischer Kampf. Das habe ich fast täglich gehört. Und nun muß man sehen, wie selbst das geringste Empfinden fehlt für das, was geschehen ist, daß *auch nicht ein Wort des Bedauerns* von dieser Seite gekommen ist. (Lebhafte Zustimmung)

Wir wollen keine Guillotine aufrichten, wir wollen nur, daß der Parteitag, der dazu berechtigt ist, dieselbe Instanz, die auch das Organisationsstatut erlassen hat, in einer Art authentischer Deklaration, in einem Gutachten seine Ansicht ausspricht, wo in einer bestimmten Richtung die Grenze der Parteizugehörigkeit liegt, ausspricht, daß, wer nun, wie es hier geschehen ist, überlegt und in der Tragweite bewußt wieder gegen grundlegende Parteibeschlüsse verstößt, damit die Grenze überschreitet, die für die Parteizugehörigkeit gezogen ist. In welcher Weise dann der Auschluß formal stattfindet, ist Sache für sich. Es ist falsch, wenn David unseren Antrag anders ausgelegt hat. Wie ihm sei: *Für die Zukunft muß ein Pentagramma* [Anmerkung: fünfeckiger Stern] *aufgezeichnet werden.*«[8]

Karl Liebknecht wies dann noch auf den preußischen Wahlrechtskampf hin und appellierte wegen dieses Kampfes an die süddeutschen Genossen, die Einheit der Partei zu wahren:

»Ich spreche als Preuße zu Ihnen. Wir stehen in Preußen in dem schwersten Kampfe, den die Sozialdemokratie, solange sie existiert, unternommen hat; in einem Kampfe, der Konsequenzen zeitigen kann für uns alle, persönliche und sachliche, die wir nicht absehen können, die wir aber auch nicht scheuen, mögen sie sein, wie sie wollen. (Lebhafter Beifall.) Das drückt für die nächste Zukunft unserer Arbeit in ganz Deutschland den Stempel auf. Sie (zu den Süddeutschen) können uns viel helfen dabei, aber die wichtigste Hilfe ist: Sichern Sie die Einheit und Geschlossenheit der Partei.« Das Protokoll verzeichnete »Stürmischer Beifall«.[9]

Liebknecht als Kämpfer wider Reformismus und Revisionismus stellte sich bereits auf dem Parteitag vom September 1905 auf die Seite der Anhänger des Massenstreikes: »Der Massenstreik ist ... das spezifisch proletarische Kampfmittel für alle Gebiete des Klassenkampfes, organisch hervorwachsend aus der Stellung und Funktion des Proletariats in der kapitalistischen Wirtschaftsordnung. Er ist die politische Realisierung der wirtschaftlichen Macht der Arbeiterklasse.«[10] Auf die skeptische Frage des rechten Sozialdemokraten Wolfgang Heine: »Werden wir siegen?« antwortete Liebknecht: »Ja, eine Revolutionsversicherung hat's noch nie gegeben; die müßte erst erfunden werden. Gewiß! Das Blut des Volkes ist uns teuer, aber die Ideale und dic politischen Rechte des Volkes sind uns nicht minder teuer, und wir wollen sie uns nicht widerstandslos rauben lassen. Der Verantwortung für die Tat steht gegenüber die Verantwortung für die Untätigkeit ...«[11]

Am 9. Dezember 1905 unterstrich er noch einmal in Leipzig: „Im politischen Massenstreik hat das Proletariat eine neue Waffe seinem Arsenal einverleibt, die es zu gegebener Zeit anwenden wird.«[12]

Auf dem Magdeburger Parteitag von 1910 unterstützte er den Antrag von Rosa Luxemburg, den Massenstreik als sozialistisches Kampfmittel insbesondere zur Durchsetzung von Wahlrechtsforderungen zu propagieren. Auch 1914 setzte er sich für den Massenstreik ein. Scharf kritisierte er jene Organisation, die sein Konzept des Massenstreiks am entschiedensten ablehnte und die die konsequenteste

Reformpolitik zugunsten der Arbeiterschaft betrieb: die Gewerkschaften. Schon auf dem Parteitag vom September 1905 hatte er eine gewisse Entpolitisierung der sozialistischen Gewerkschaften beklagt. Im selben Jahr hielt er ihnen in Leipzig vor, auf ihrem Kölner Kongreß seien »oberflächliche Reden über wirtschaftliche und politische Fragen gehalten worden« und die Gewerkschaften würden »nur noch mit der Quantität, aber nicht mit der Qualität der Mitglieder« rechnen.[13] Wie Rosa Luxemburg, so war auch Karl Liebknecht bei den Gewerkschaften äußerst unbeliebt. Deswegen forderte der Gewerkschaftsführer Carl Legien als erster nach dem Bruch Karl Liebknechts mit der Burgfriedenspolitik der Sozialdemokratie während des 1. Weltkrieges seinen Ausschluß aus der SPD.

Arbeiterjugendbewegung und Antimilitarismus

Karl Liebknecht zählte zu den ersten Vorkämpfern der deutschen und internationalen Arbeiterjugendbewegung. Bereits auf dem SPD-Parteitag von 1904 sprach er sich für selbständige Jugendorganisationen und für eine antimilitaristische Agitation innerhalb der Jugend aus. Am 22. September 1906 wandte er sich in einem aufrüttelnden und sowohl von seinen Anhängern als auch seinen Gegnern vielbeachteten Artikel der Zeitung »Die Junge Garde« an die jungen Proletarier, die zum Wehrdienst einberufen wurden:

»Die Stunde der Aushebung hat geschlagen. Bald kommt der Gestellungsbefehl, und das Beste, was an jugendlicher Männerkraft im deutschen Volke gewachsen ist, muß sein Bündel schnüren und Eltern, Geschwister, Kollegen und Freunde, oft selbst Frau und Kind verlassen. *Muß!* Da gibt's kein Zerren und Sträuben; Gefängnismauern drohen dem Widerstrebenden . . .«[1] Er malte alle Schrecken des Militarismus im Wilhelminischen Deutschland, in dem das Heer gegen die Arbeiterschaft mißbraucht werden sollte, aus: »Dort [Anmerkung: in den Kasernen] werdet ihr bald hören: Nicht nur zum Kampf gegen den äußeren Feind, nein, auch zum Kampf gegen den *inneren Feind* sollt ihr dienen!

Wer ist der innere Feind?

Auf Vater und Mutter, Bruder und Schwester sollt ihr nach Kommando schießen!

Fürs Vaterland?

Man wird euch zu Streikbrecherdiensten abkommandieren.

Fürs Vaterland?

Man wird euch, wie in Nürnberg und Magdeburg und wie in ganz Preußen und Hessen am 21. Januar 1906, in den wirtschaftlichen Kämpfen zwischen Arbeiterschaft und Unternehmertum zum Schutze des Unternehmertums und in den politischen Freiheitskämpfen der Arbeiterschaft zum Schutze eurer Unterdrücker gegen die Arbeiter, eure Kameraden, Kollegen und Gesinnungsgenossen zu den Waffen rufen ...«[2]

Auf dem Mannheimer Parteitag Ende September 1906 beschwor er die Delegierten, »ein einmütiges Sympathievotum für die Jugendorganisationen«[3] abzugeben und plädierte für die systematische Entfaltung einer besonderen antimilitaristischen Propaganda. Am 30. September sprach er noch in Mannheim auf der Generalversammlung des Verbandes junger Arbeiter Deutschlands zu dem Thema »Jugend und Militarismus«.

Im Februar 1907 veröffentlichte er die Kampfschrift »Militarismus und Antimilitarismus - unter besonderer Berücksichtigung der internationalen Jugendbewegung«, die mit dem eindringlichen Appell schloß: »Wie ein weitverzweigtes Netz soll sich die antimilitaristische Propaganda über das ganze Volk breiten. Die proletarische Jugend muß von Klassenbewußtsein und von Haß gegen den Militarismus systematisch durchglüht werden. Der jugendliche Enthusiasmus wird die Herzen der jungen Proletarier einer solchen Agitation begeistert entgegenschlagen lassen. Die proletarische Jugend gehört der Sozialdemokratie, dem sozialdemokratischen Antimilitarismus. Sie wird und muß, wenn alles seine Schuldigkeit tut, gewonnen werden. *Wer die Jugend hat, der hat die Armee.*«[4] Einen Monat später bildete er gemeinsam mit dem belgischen Sozialisten Henrik de Man und dem süddeutschen Sozialdemokraten Ludwig Frank ein provisorisches internationales Büro der sozialistischen Jugendorganisationen, um die Gründung einer internationalen sozialistischen Jugendorganisation vorzubereiten. Ende August 1907 wählte die Erste Internationale Konferenz der Sozialistischen Jugendorganisationen Karl Liebknecht neben dem Schweizer Bader zu ihrem Vorsitzenden und delegierte Liebknecht in das fünfköpfige internationale Büro, dessen Präsident er später wurde.[5]

Seine Schrift »Militarismus und Antimilitarismus« hatte ein gerichtliches Nachspiel vor dem Reichsgericht in Leipzig, wo er am 12. Oktober 1907 wegen »Vorbereitung eines hochverräterischen Unternehmens« zu einer Festungshaft von einem Jahr und sechs Monaten verurteilt wurde.[6]

Der Versuch, ihn aus dem Anwaltsberuf hinauszudrängen, scheiterte jedoch. Sowohl das Ehrengericht der Anwaltskammer der Mark Brandenburg als auch der Ehrengerichtshof der deutschen Rechtsanwälte in Leipzig lehnen es ab, ihn aus dem Anwaltsstand auszuschließen.

Noch in seinen letzten Lebensmonaten richtet er sein besonderes Augenmerk auf die sozialistische Jugendbewegung. Mehrfach spricht er in den letzten Monaten des Jahres 1918 auf Jugendversammlungen. Mit hymnischen Worten glorifiziert er in der »Jungen Garde« vom 27. November 1918 die revolutionäre Jugend:

»Die revolutionäre Jugend des Proletariats, sie war die heißeste, reinste Flamme der bisherigen deutschen Revolution; sie wird die glühendste, heiligste, unlöschbare Flamme der neuen Revolution sein, die da kommen muß und wird: der sozialen Revolution des deutschen, des Weltproletariats.«[7]

Karl Liebknecht als Parlamentarier

Bereits im Juli 1901 wurde Karl Liebknecht auf der Kreiskonferenz des Reichstagswahlkreises Potsdam-Spandau-Osthavelland einstimmig zum Kandidaten der SPD für die nächste Reichstagswahl nominiert. Bei der Reichstagsstichwahl vom 26. Juni 1903 errang er 17 936 Stimmen, 231 weniger als erforderlich. Inzwischen war Liebknecht schon im November 1901 zum Mitglied der Berliner Stadtverordnetenversammlung gewählt worden, und am 2. Januar 1902 nahm er seine Tätigkeit als Stadtverordneter auf.[1] Während seiner Haftzeit in der Festung Glatz wird er - und zwar am 16. Juni 1908 - ins preußische Abgeordnetenhaus gewählt. Dort hält er am 24. Juni 1909, rund drei Wochen nach seiner Haftentlassung, eine große Rede gegen das preußische Dreiklassenwahlrecht. Er verfügt über eine reichhaltige Palette von rhetorischen Farben. Große Kenntnisse aus der Literatur- und Geistesgeschichte stehen ihm zu Gebote:

»Meine Herren, ich will etwas literarisch beginnen. (Zwischenrufe: ›Oh, oh!‹) Nach Cardano, einem der Philosophen, die am Beginn des neuen Zeitalters stehen, teilt sich die Menschheit in drei verschiedene Klassen: in die Klasse derer, qui decipiunt, in die zweite Klasse derer, qui decipiunt et decipiuntur, und die dritte Klasse derer, qui decipiuntur; die erste Klasse sind diejenigen, die betrügen, die zweite die, die betrügen und gleichzeitig betrogen werden, die betrogenen Betrüger, und die dritte Klasse diejenigen, die nur betrogen werden. Das ist in Kürze der Sinn des Dreiklassenwahlrechts. (Große Heiterkeit.) Ja, meine Herren, Sie lachen über sich selbst und wissen nicht einmal, daß Sie über sich selbst lachen.

Meine Herren, ich möchte darauf verweisen, daß von Ihrer Seite gar so gern gesagt wird: ›Das Volk bedarf der Führung, wir sind es,

die das Volk führen und behüten.‹ . . . Ich möchte Ihnen auch hier etwas Anekdotisches vortragen. Es war ein Reformator namens Bucerus, ein Freund von Luther und Zwingli, also eine sehr respektable Persönlichkeit von Ihrem Standpunkt aus, der im Jahre 1526 gesagt hat - (Zwischenruf. Lachen rechts.) Ja, meine Herren, Sie sind ja in Ihrem Standpunkt noch gar nicht über 1526 hinausgekommen. (Zwischenruf. Große Heiterkeit.) Jawohl, besser vom Jahre 2000 sein als von 1526! Deswegen ist es am Platze, Ihnen das heute noch zu sagen. Er hat gesagt: ›Wenn man den Wölfen befiehlt, daß sie die Schafe hüten sollen, oder den Katzen, daß sie die Bratwürste warten sollen, mag man wohl bedenken, wie sie behütet werden. Gleichermaßen ist jetzt der arme Mann behütet.‹ Ja, meine Herren, das gilt auch heute noch und ist eine vorzügliche Charakteristik Ihres Standpunktes in bezug auf das Verhältnis der besitzenden zu den armen Klassen.«[2]
Heftig attackiert Liebknecht die Konservativen im Abgeordnetenhaus wegen ihrer unnachgiebigen Haltung in der Wahlrechtsfrage:

»Das ist ein frivoles Spiel - ich wiederhole es -, das von der Konservativen Partei getrieben wird. Ihnen kommt es allein darauf an, Ihre Machtposition zu halten. Sie fragen nicht nach Recht und Gerechtigkeit. (Große Unruhe rechts.) Sie fragen vor allen Dingen nicht nach Christentum und Christenpflicht. (Lebhafter Widerspruch rechts.) Sie treten das Christentum in Ihren Handlungen mit Füßen -«[3]

Hier unterbricht ihn der Vizepräsident Porsch und fordert ihn auf, solche Anschuldigungen zu unterlassen. Auf einen Zwischenruf, der auf seine Festungshaft anspielt, kontert Liebknecht: »Anderthalb Jahre Zeit gehabt? Meine Herren, anderthalb Jahre Zeit! Diese Strafe ist die größte Ehre, die mir bisher noch zuteil geworden ist. (Lebhafte Zurufe rechts.) Ich weiß ja, daß einer von den Herren früher schon einmal das Bedauern ausgesprochen hat, daß ich nicht im Zuchthause bin. Meine Herren, selbst wenn ich ins Zuchthaus gekommen wäre, wäre es für mich eine Ehre gewesen. Glauben Sie denn etwa, daß wir in dieser Beziehung auch nur soviel gemein haben mit Ihren Ehrbegriffen? (Große Unruhe rechts.) Wir pfeifen auf Ihre Ehrbegriffe. (Zuruf rechts.) Besser im Zuchthaus sein auf Grund von Vergewaltigung, als hier sitzen als Vergewaltiger. Meine Herren, alle Ihre patriotischen Redewendungen, alle Ihre christlichen Redewendungen verdienen in der ganzen Welt ein Höllengelächter . . .«[4] Er schließt mit einer beherzten Philippika gegen das ungerechte Wahlrecht:

»Wir halten es für nötig, hier stets wiederum unser Ceterum censeo auszusprechen, daß dieses Karthago, dieses Dreiklassenwahlrecht, zu vernichten sei, und wir werden nicht müde werden, dies bei jeder Gelegenheit hier und im Lande draußen auszusprechen. Wir werden solange nicht nachlassen, bis diese Schanze genommen sein wird, und wir werden dafür sorgen, daß, um ein Wort von Friedrich Wilhelm I. zu variieren, die Volkssouveränität stabilisiert werden wird wie ein rocher de bronze und den Herren Junkern der Wind vom Landtage bleibt.«[5]

Neben der Wahlrechtsfrage wendet sich Liebknecht kulturpolitischen Problemen zu, er verurteilt Universitäten als Drillanstalten, das klerikale Schulwesen, nationalistische Erziehung und die Verquickung von Besitz und Bildung. Oftmals löst er Tumulte aus. Häufig wird er vom Präsidenten gerügt und zur Ordnung gerufen, ein paarmal entzieht ihm der Präsident das Wort.

Im Januar 1912 kandidiert Karl Liebknecht wiederum im Wahlkreis Potsdam-Spandau-Osthavelland für den Reichstag. Diese Reichstagswahl bringt der Sozialdemokratie einen Stimmengewinn von fast einer Million, sie wird nicht nur zur stimmstärksten Partei, sondern auch zur stärksten Fraktion im Zentralparlament des Wilhelminischen Deutschland. Im ersten Wahlgang erhält Karl Liebknecht 21 505 Stimmen. Auf Grund des absoluten Mehrheitswahlrechtes ist eine Stichwahl zwischen ihm und seinem konservativen Gegenkandidaten Voßberg erforderlich. Am 25. Januar 1912 gewinnt Karl Liebknecht zum erstenmal für die Sozialdemokratie den Wahlkreis Potsdam-Spandau-Osthavelland, der als sogenannter Kaiserwahlkreis gilt.[6]

Im Reichstag deckt Liebknecht wiederholt die Praxis der Rüstungsindustrie, aus reinem Profitinteresse Kanonen ins Ausland zu liefern, auf. In seiner Rede »Der Feind im eigenen Land« vom 18. April 1913 prangert er die »Vaterlandslosigkeit des Kapitals«[6a] an und weist darauf hin, daß die Rüstungsindustrie seiner Zeit ein geschäftliches Interesse an der Zwietracht zwischen den Völkern haben muß:

»Unsere Krupp, Stumm und Genossen, Waffen- und Munitionsfabriken können nichts Besseres wünschen, als daß in Frankreich tüchtig gerüstet wird, weil auch sie dann tüchtig Arbeit bekommen und viel Geld verdienen. Das sind dieselben Leute, deren Profit völlig unbeeinflußt ist von dem Anlaß eines Zwistes zwischen den Völkern und seinem Erfolge, bei denen die Höhe des Profits schlechthin proportional ist dem Grade der Zwietracht, des Hasses zwischen den verschiedenen Völkern.«[7] Am 19. April 1913 zitiert er aus dem Brief Friedrich Krupps an Napoleon III. vom 29. April 1868, als der Essener Fabrikant dem Franzosenkaiser einen Atlas mit Zeichnungen seiner Fabrikate zuschickte und besonders auf seine Gußstahlkanonen, die er für verschiedene Regierungen Europas angefertigt hatte, hinwies.[8] Eine Woche später bemerkt Liebknecht dazu sarkastisch, »daß es die deutschen Soldaten 1870/71 nicht etwa Krupp, dem großen Patrioten, sondern Napoleon III. und seinen Räten zu verdanken hatten, wenn ihre Knochen nicht von deutschvölkischen Kruppschen Kanonen zerschmettert worden sind«.[9] In derselben Rede vom 26. April 1913 macht Liebknecht auf eine Meldung der »Deutschen Tageszeitung« aufmerksam, wonach die Solinger Waffenindustrie sich erfreut über Aufträge aus Rußland zeigte: »Und ausgerechnet unsere patriotische Solinger Waffenindustrie ist darüber beglückt, den Russen deutsche Waffen liefern zu können, auf daß die russische Armee, wenn der Fall eintritt, den so mancher Pessimist fürchtet und den mancher Waffenlieferantenoptimist erhofft, mit deutschen Waffen deutsche Soldaten niedermetzeln kann.«[10]

Liebknecht schließt seine Rede mit dem eindringlichen Appell: »Das Vaterland ist in Gefahr! Es ist aber nicht in Gefahr vor dem äußeren Feinde, sondern vor jenen gefährlichen inneren Feinden, vor allem vor der internationalen Rüstungsindustrie.«[11]

Karl Liebknechts Reden in der zweiten und dritten Lesung des Reichsheeresetats vom April 1913 gehören nicht nur zu den Glanzlichtern des kaiserlichen Reichstages, sondern auch zu den Höhepunkten in der deutschen Parlamentsgeschichte überhaupt. Sie zeigen, daß Karl Liebknecht zu den hervorragendsten deutschen Parlamentariern zählt - sowohl hinsichtlich seiner moralischen Integrität als auch hinsichtlich der sprachlichen Zucht und dem über das Tagesereignis hinausreichenden geistigen Höhenflug seiner Reden. Es ist tragisch, daß dieser glänzende und leidenschaftliche Rhetor, der stets von ethischen Postulaten, großer Sachkenntnis und profunder Allgemeinbildung bestimmt und getragen wurde, nicht in einer parlamentarischen Demokratie zu wirken vermochte. Tragisch ist aber auch die Tatsache, daß der hervorragende Parlamentarier Liebknecht das palamentarische Regierungssystem verwarf und in Parlamenten nichts anderes als Tribünen des Klassenkampfes sehen konnte.

Karl Liebknechts Kampf gegen den Krieg

Am 3. August 1914, zwei Tage nach der Kriegserklärung des Deutschen Reichs an Rußland und am Tage der Kriegserklärung an Frankreich (denen die russische und die französische Mobilmachung vorausgegangen waren) trat die sozialdemokratische Reichstagsfraktion zusammen und beriet über die Kriegskredite. Die Abstimmung ergab 78 zu 14 Stimmen zugunsten der Bewilligung. Karl Liebknecht zählte zur unterlegenen Minderheit. Wie diese, so stimmte auch er am Tage darauf aus Parteidisziplin im Reichstag für die Kriegskredite. Dennoch wird am 5. August 1914 - unter Verletzung seiner Immunität - seine Wohnung von einem Polizeibeamten und acht Soldaten durchsucht. Vom 4. bis 12. September bereist Liebknecht mehrere belgische Städte, um sich über die Folgen der deutschen Kriegsführung zu informieren.[1]

Im selben Monat gibt er gemeinsam mit Rosa Luxemburg, Franz Mehring und Clara Zetkin eine Erklärung ab, die sich von der Politik der Parteiführung deutlich abgrenzt. Erstmals wird in der Sitzung des Preußischen Abgeordnetenhauses vom 22. Oktober 1914 eine parlamentarische Opposition gegen den Krieg spürbar. Die zehn sozialdemokratischen Abgeordneten billigen zwar den Notstandskredit, fordern aber zugleich, das gleiche Wahlrecht in Preußen einzuführen. Die oppositionellen Mitglieder der SPD-Fraktion (Adolf Hofer, Adolph Hoffmann, Paul Hoffmann, Karl Liebknecht und Heinrich Ströbel) verlassen demonstrativ den Saal vor der Schlußrede des Präsidenten.[2]

In der sozialdemokratischen Reichstagsfraktion versucht Liebknecht Bundesgenossen für seine geplante Verweigerung der Zustimmung zu den zweiten Kriegskrediten zu gewinnen. Aber am 2. Dezember 1914 stimmt er als einziger Abgeordneter des Deutschen Reichstages gegen die Kriegskredite. Dem Reichtagspräsidenten überreicht er gemäß Paragraph 59 der Geschäftsordnung die Abstimmungsbegründung:

»Meine Abstimmung zur heutigen Vorlage begründe ich wie folgt: Dieser Krieg, den keines der beteiligten Völker selbst gewollt hat, ist nicht für die Wohlfahrt des deutschen oder eines anderen Volkes entbrannt. Es handelt sich um einen imperialistischen Krieg, einen Krieg um die kapitalistische Beherrschung des Weltmarktes, um die politische Beherrschung wichtiger Siedlungsgebiete für das Industrie- und Bankkapital. Es handelt sich vom Gesichtspunkt des Wettrüstens um einen von der deutschen und österreichischen Kriegspartei gemeinsam im Dunkel des Halbabsolutismus und der Geheimdiplomatie hervorgerufenen Präventivkrieg. Es handelt sich auch um ein bonarpartistisches Unternehmen zur Demoralisation und Zertrümmerung der anschwellenden Arbeiterbewegung. Das haben die verflossenen Monate trotz einer rücksichtslosen Verwirrungsregie mit steigender Deutlichkeit gelehrt.

Die deutsche Parole ›Gegen den Zarismus‹ diente - ähnlich der jetzigen englischen und französischen Parole ›Gegen den Militarismus‹ - dem Zweck, die edelsten Instinkte, die revolutionären Überlieferungen und Hoffnungen für den Völkerhaß zu mobilisieren. Deutschland, der Mitschuldige des Zarismus, das Muster politischer Rückständigkeit bis zum heutigen Tage, hat keinen Beruf zum Völkerbefreier. Die Befreiung des russischen wie des deutschen Volkes muß deren eigenes Werk sein. Der Krieg ist kein deutscher Verteidigungskrieg. Sein geschichtlicher Charakter und bisheriger Verlauf verbieten, einer kapitalistischen Regierung zu vertrauen, daß der Zweck, für den sie die Kredite fordert, die Verteidigung des Vaterlandes ist.

Ein schleuniger, für keinen Teil demütigender Friede, ein Friede ohne Eroberungen, ist zu fordern; alle Bemühungen dafür sind zu begrüßen. Nur die gleichzeitige dauernde Stärkung der auf einen solchen Frieden gerichteten Strömungen in allen kriegsführenden Staaten kann dem blutigen Gemetzel vor der völligen Erschöpfung aller beteiligten Völker Einhalt gebieten. Nur ein auf dem Boden der internationalen Solidarität der Arbeiterklasse und der Freiheit aller

Völker erwachsener Friede kann ein gesicherter sein. So gilt es für das Proletariat aller Länder, auch heute im Kriege gemeinsame sozialistische Arbeit für den Frieden zu leisten.

Die Notstandskredite bewillige ich in der verlangten Höhe, die mir bei weitem nicht genügt. Nicht minder stimme ich allem zu, was das harte Los unserer Brüder im Felde, der Verwundeten und Kranken, denen mein unbegrenztes Mitleid gehört, irgend lindern kann; auch hier geht mir keine Forderung weit genug. Unter Protest jedoch gegen den Krieg, seine Verantwortlichen und Regisseure, gegen die kapitalistische Politik, die ihn heraufbeschwor, gegen die kapitalistischen Ziele, die er verfolgt, gegen die Annexionspläne, gegen den Bruch der belgischen und luxemburgischen Neutralität, gegen die Militärdiktatur, gegen die soziale und politische Pflichtvergessenheit, deren sich die Regierung und die herrschenden Klassen auch heute noch schuldig machen, lehne ich die geforderten Kriegskredite ab.

Berlin, den 2. Dezember 1914 Karl Liebknecht«[3]

Nachdem der Reichstagspräsident die Aufnahme dieser Begründung in den stenographischen Bericht abgelehnt hat, wird sie als illegales Flugblatt verbreitet.

Am 3. Dezember 1914 versucht Karl Liebknecht in einem Schreiben an den Fraktionsvorstand, seine vom Fraktionsvotum abweichende Stellungnahme zu rechtfertigen. ». . . Der Fraktionsbeschluß aber war ein schwerer Verstoß gegen grundlegende Parteibeschlüsse. In diesem Gewissenskonflikt mußte ich die Pflicht der *Fraktionsdisziplin*, so hoch ich sie schätze, der Pflicht zur Vertretung des *Parteiprogramms* unterordnen . . .«[4] Am gleichen Tag erscheint im »Vorwärts« eine Erklärung des Vorstandes, in der der Bruch der Fraktionsdisziplin durch Liebknecht »aufs tiefste« bedauert wird. Bei der vorangegangenen Abstimmung über diese Erklärung hat ein Mitglied des Fraktionsvorstandes dagegen votiert.[5]

Am 7. Februar 1915 wird Liebknecht zum Militärdienst einberufen. Von nun an unterliegt er der Militärgerichtsbarkeit. Es verbleiben ihm jedoch seine Rechte als Abgeordneter des Reichstages und des preußischen Abgeordnetenhauses, und er muß zur Teilnahme an den laufenden Sitzungen beider Parlamente beurlaubt werden.[6] Deshalb kann er noch bis zum 21. März 1915 in Berlin bleiben und am 2. März seine erste Parlamentsrede im Kriege anläßlich der zweiten Lesung des Etats des preußischen Innenministeriums halten. Er wendet sich wiederum gegen das preußische Dreiklassenwahlrecht und schließt mit den aufrüttelnden Worten: »Fort mit der Heuchelei des Burgfriedens! Auf zum Klassenkampf! Auf zum internationalen Klassenkampf für die Befreiung der Arbeiterklasse und gegen den Krieg!«[7] Am 20. März stimmen Karl Liebknecht und Otto Rühle im Reichstag gegen die Kriegskredite, während 30 Abgeordnete der SPD vor der Abstimmung den Saal verlassen.[8]

Ende März 1915, als Karl Liebknecht als Armierungssoldat an die Westfront gelangt, erscheint seine illegale Schrift »Klassenkampf gegen den Krieg. Der ›Fall Liebknecht‹«. Am 13. Mai kehrt er nach Berlin zurück, um an den Verhandlungen des Reichstages und des preußischen Abgeordnetenhauses teilzunehmen. Am 27. Mai wird Karl Liebknechts Flugblatt »Der Hauptfeind steht im eigenen Land!« an die Vertrauensleute der Gruppe Internationale ausgegeben und am nächsten Tag, dem Beginn der Reichstagsdebatte über den Kriegseintritt Italiens, in den Berliner Betrieben verteilt. In einer einfachen und klaren Sprache versteht es Liebknecht, die Arbeiter anzusprechen:

»Abgewirtschaftet hat die unsinnige Parole des ›Durchhaltens‹, die nur immer tiefer in den Malstrom der Völkerzerfleischung führt. *Internationaler proletarischer Klassenkampf gegen internationale imperialistische Völkerzerfleischung heißt das sozialistische Gebot der Stunde.* Der Hauptfeind jedes Volkes steht in seinem eigenen Land! *Der Hauptfeind des deutschen Volkes steht in Deutschland: der deutsche Imperialismus, die deutsche Kriegspartei, die deutsche Geheimdiplomatie.* Diesen Feind im eigenen Lande gilt's für das deutsche Volk zu bekämpfen, zu bekämpfen im politischen Kampf, zusammenwirkend mit dem Proletariat der anderen Länder, dessen Kampf gegen seine heimischen Imperialisten geht. Wir wissen uns eins mit dem deutschen Volk - nichts gemein haben wir mit den deutschen Tirpitzen und Falkenhayns, mit der deutschen Regierung der politischen Unterdrückung, der sozialen Knechtung. Nichts für diese, alles für das deutsche Volk. *Alles für das internationale Proletariat, um des deutschen Proletariats, um der getretenen Menschheit willen!* Die Feinde der Arbeiterklasse rechnen auf die Vergeßlichkeit der Massen - sorgt, daß sie sich gründlich verrechnen! Sie spekulieren auf die Langmut der Massen - wir aber erheben den stürmischen Ruf:

Wie lange noch sollen die Glücksspieler des Imperialismus die Geduld des Volkes mißbrauchen? Genug und übergenug der Metzelei! Nieder mit den Kriegshetzern diesseits und jenseits der Grenze!

Ein Ende dem Völkermord!

Proletarier aller Länder, folgt dem heroischen Beispiel eurer italienischen Brüder! Vereinigt euch zum internationalen Klassenkampf gegen die Verschwörungen der Geheimdiplomatie, gegen den Imperialismus, gegen den Krieg, für einen *Frieden im sozialistischen Geist.*

Der Hauptfeind steht im eigenen Land!«[9]

Ende Juni wird Liebknecht dem Armierungsbataillon 102 zugewiesen und Anfang Juli kommt er an die Ostfront. Von dort reicht er am 31. Juli dem Reichstagsbüro seine erste kleine Anfrage ein, die er am 10. August im Reichstag mündlich vorträgt:

»Ist die Regierung bei entsprechender Bereitschaft der anderen Kriegsführenden bereit, auf der Grundlage des *Verzichts auf Annexionen aller Art in sofortige Friedensverhandlungen* einzutreten?«

Bezeichnenderweise lehnt der Staatssekretär des Auswärtigen Amtes von Jagow eine konkrete Antwort ab: »Meine Herren, ich glaube dem Einverständnis der großen Mehrheit des Hauses zu begegnen, wenn ich auf die Anfrage des Abgeordneten Dr. Liebknecht eine Antwort als zur Zeit unzweckmäßig zu erteilen ablehne.«[10]

An der Ostfront schreibt Karl Liebknecht Anfang August 1915 auch seinen Artikel »Antimilitarismus«, der in der Züricher Zeitschrift »Jugend-Internationale« veröffentlicht wird. Hier betont er den untrennbaren Zusammenhang zwischen Antimilitarismus und Klassenkampf:

»Und der antimilitaristische Kampf ist die zugespitze Form des Klassenkampfes gegen den Krieg und gegen die innerpolitische Gewaltpolitik des Kapitalismus.

Diesen Kampf aber, der gegenüber dem jetzigen Krieg noch völlig versagt hat, heißt es von nun an umfassender und tatkräftiger zu gestalten als bisher.

Die Voraussetzungen und Bedingungen dafür bedürfen eingehender Prüfung. ›Revolutionen können nicht gemacht werden‹ - dies Wort, das auf alle gesellschaftliche Entwicklung angewandt wird, ist wahr und falsch zugleich. ›Revolutionen‹ *werden*, wie alle gesellschaftliche Entwicklung, ›gemacht‹ ... Nur daß es ein gesellschaftliches ›Machen‹ ist; ein *Massen*prozeß; ein Vorgang *in* den Massen, *durch* die Massen; ein Vorgang, der sich aber vollzieht in Handlungen der einzelnen, aus denen sich die Massen zusammensetzen oder die zuzeiten die Massen vertreten ... Kein Quietismus, sondern Aktivierung heißt die Losung. Und keine Unterdrückung, keine Unterbindung der individuellen Tat! ...«[11]

Der Burgfriedenspolitik schleudert er die Parole entgegen: »Burgkrieg, nicht Burgfrieden«.[12]

Im August nimmt Liebknecht wiederum an den Sitzungen des Reichstages teil und lehnt erneut die Kriegskredite ab. Von Anfang September bis Ende Oktober steht er an der Ostfront und am 1. November wird er wegen Erschöpfung in ein Lazarett eingeliefert. Vom Lazarett Königsberg aus reicht er sechs Kleine Anfragen beim Reichstagsbüro ein. Am 21. Dezember 1915 votieren neben Karl Liebknecht und Otto Rühle erstmals 18 weitere Abgeordnete der SPD (unter ihnen Eduard Bernstein, Wilhelm Dittmann, Hugo Haase, Joseph Herzfeld und Georg Ledebour) gegen die Kriegskredite. 22 SPD-Abgeordnete entfernen sich vor der Abstimmung.[13]

Am 12. Januar 1916 wird Karl Liebknecht aus der sozialdemokratischen Fraktion ausgeschlossen. Seine letzte Reichstagsrede - und zwar gegen die Kriegsanleihe - hält er am 8. April 1916. Sie löst turbulente Szenen im Reichstag aus. Es fallen Zwischenrufe wie »Müssen wir uns das gefallen lassen, Herr Präsident!« - »Landesverrat!« - »Das ist kein Deutscher!« - »Irrenhaus«. Ein Abgeordneter reißt ihm unter stürmischem Beifall im Hause und auf der Tribühne die Notizen vom Rednerpult und wirft sie zu Boden. Als Liebknecht zur Seite geht, um die Notizen aufzuheben, wird ihm vom Präsidenten wegen angeblichen Verlassens der Rednertribüne das Wort entzogen. Liebknechts Proteste gegen die »schnöde Vergewaltigung« und die »Infamie« quittiert der Präsident mit einem Ausschluß Liebknechts aus der Sitzung.[14]

Ostern 1916 hält Liebknecht auf einer illegalen Konferenz von Repräsentanten der sozialistischen Jugend Deutschlands in Jena das Referat und bringt eine Resolution gegen den Krieg ein, die verabschiedet wird. Er verfaßt während seines Aufenthaltes in Jena auch ein Flugblatt zur Maifeier: »... Am 1. Mai reichen wir über alle Grenzsperren und Schlachtfelder hinweg die Bruderhand dem Volke in Frankreich, in Belgien, in Rußland, in England, in Serbien, in der ganzen Welt! Am 1. Mai rufen wir vieltausendstimmig: Fort mit dem ruchlosen Verbrechen des Völkermordes! Nieder mit seinen verantwortlichen Machern, Hetzern und Nutznießern! Unsere Feinde sind nicht das französische, russische oder englische Volk, das sind deutsche Junker, deutsche Kapitalisten und ihr geschäftsführender Ausschuß: die deutsche Regierung! Auf zum Kampfe gegen diese Todfeinde jeglicher Freiheit, zum Kampf um alles, was das Wohl und die Zukunft der Arbeitersache, der Menschheit und der Kultur bedeutet!

Schluß mit dem Kriege! Wir wollen den Frieden!
Hoch der Sozialismus! Hoch die Arbeiterinternationale!
Proletarier aller Länder, vereinigt euch!«[15]

Als Karl Liebknecht am 1. Mai auf dem Potsdamer Platz in Berlin fordert: »Nieder mit dem Krieg! Nieder mit der Regierung!«, wird er verhaftet und in das Militärgefängnis Lehrter Straße eingeliefert. Am Tag darauf erfolgt eine Haussuchung in seiner Wohnung, wobei Handzettel und von ihm verfaßte Flugblätter gefunden werden. Am 28. Juni verurteilt ihn das Berliner Kommandanturgericht in erster Instanz zu zwei Jahren, sechs Monaten und drei Tagen Zuchthaus »wegen versuchten Kriegsverrats in Tateinheit mit erschwertem Ungehorsam sowie wegen Widerstandes gegen die Staatsgewalt«.[16] Die Arbeiterschaft ist empört über das Vorgehen der Justiz. In zahlreichen Demonstrationen und Streiks, die in Berlin, Bremen, Braunschweig und anderen Städten beobachtet werden können, solidarisiert sie sich mit Liebknecht. Aber den Stützen der Gesellschaft erscheint das Urteil nicht hart genug. Der Gerichtsherr des Kommandanturgerichts Berlin legt Berufung ein, und das Oberkriegsgericht in Berlin verurteilt ihn als zweite Instanz zu vier Jahren und einem

Monat Zuchthaus sowie zum Verlust der bürgerlichen Ehrenrechte für sechs Jahre. Nachdem dieser Gerichtsbeschluß vom Reichsmilitärgericht bestätigt worden ist, muß Karl Liebknecht am 8. Dezember ins Zuchthaus Luckau. Über seine zweite Frau Sonja, eine junge Russin, bleibt er mit seinen politischen Freunden in Verbindung.

Der Kampf gegen den Krieg führte so entgegengesetzte Naturen wie Karl Liebknecht und Rosa Luxemburg zusammen. Nein, sie waren keineswegs ein Herz und eine Seele. Trotz dem gemeinsamen Eintreten für den Massenstreik und gegen Reformismus und Revisionismus bestanden sowohl persönliche als auch sachliche Differenzen. Liebknecht zählte vor dem 1. Weltkrieg nicht, wie Franz Mehring, Julian Marchlewski oder auch Clara Zetkin zum engeren Kreis um Rosa Luxemburg. Diese hatte - wie ihr Biograph Peter Nettl bemerkt - für »ewige Jünglinge wie Karl Liebknecht, die sich Hals über Kopf in eine Sache stürzten und sie ebenso schnell wieder fahren ließen ... nichts übrig.«[17] Im Januar 1915 schrieb sie noch: »Karl ist ein ausgezeichneter Kerl, aber ...«[18]

Andererseits war - wie Karl Radek bezeugt - Rosa Luxemburgs »streng theoretisch festgelegte Linie seiner breiten suchenden Natur fremd«.[19] Liebknecht kritisierte noch 1916 die Leitsätze Rosa Luxemburgs, die als Anhang zur Junius-Broschüre erschienen.[20] Auch später gab es immer wieder sachliche Meinungsverschiedenheiten zwischen beiden. Allerdings waren sie sich nicht nur in der Ablehnung der sozialdemokratischen Burgfriedenspolitik, sondern auch in der Tendenz zur Verschärfung des Gegensatzes zum marxistischen Zentrum, das ebenfalls die Kriegskredite ablehnte und später den Kern der USPD bildete, einig.

Am 4. August 1914 fehlte Karl Liebknecht noch bei der Zusammenkunft der Parteilinken in der Wohnung Rosa Luxemburgs. Er verband sich aber im September 1914 mit Rosa Luxemburg und Clara Zetkin zu einer Erklärung, die deutlich von der Parteilinie abrückte. Rosa Luxemburg und Karl Liebknecht bildeten dann die beiden Hauptstützen der Gruppe Internationale, aus der die Spartakusgruppe hervorging. Als Karl Liebknecht schon im Zuchthaus Luckau saß, schilderte sie in einem Schreiben an Luise Kautsky anschaulich und bei aller leisen Ironie doch warmherzig seine politische Geschäftigkeit und seine nie verfliegende Jungenhaftigkeit: »So einen kurzen

Frühling erlebte ich voriges Jahr und zwar - jetzt kommt es mir schmerzlich in die Erinnerung - zum Teil mit Karl. Der arme Kerl lebte ja seit jeher ventre à terre [Anmerkung: wörtlich heißt es »Bauch an der Erde«, sinngemäß im gestreckten Galopp], im Galopp, in ewiger Hast, eilend zu Rendezvous mit aller Welt, zu Sitzungen, Kommissionen, umgeben ständig von Paketen, Zeitungen, alle Taschen voll Notizblocks und Papierchen, springend vom Auto auf die Elektrische und von der Elektrischen auf die Straßenbahn, Körper und Seele bedeckt mit Straßenstaub ... Das war so seine Art, obwohl er wie wenige innerlich tief poetisch veranlagt ist und sich über jedes Blümchen wie ein Kind freuen kann. Ich hatte ihn gezwungen, mit mir ein wenig den Frühling zu genießen, ein paarmal spazieren zu gehen. Wie lebte er dabei auf! Und nun steht sein Bild vor mir ...«[21] Während des Krieges war Karl Liebknecht - schon wegen seiner Funktion als Mitglied des Reichstages und des preußischen Abgeordnetenhauses - die eigentliche Symbolfigur des Kampfes gegen den Krieg. Bereits im Oktober 1915 erklärte Leo Trotzki gegenüber dem späteren unabhängigen Sozialdemokraten Ledebour unter lebhaftem Beifall der in Zimmerwald versammelten französischen und italienischen Sozialisten: »Für uns gibt es nur die Fraktion Liebknecht.«[22]

Karl Kautsky schrieb am 7. August 1916 an den österreichischen Sozialisten Victor Adler: »Liebknecht ist heute der populärste Mann in den Schützengräben, das wird von allen übereinstimmend versichert, die von dort kommen ...«[23]

Der französische Romancier Henri Barbusse ließ den Korporal Bertrand in seinem Anti-Kriegsbuch »Le Feu - Das Feuer« ausrufen: »... Einer hat dennoch sein Antlitz über den Krieg erhoben, und es wird einst leuchten in der Schönheit und der Bedeutung seines Mutes ... Liebknecht!«[24]

Karl Liebknecht als Spartakusführer

Frühzeitig war Karl Liebknecht - ebenso wie Rosa Luxemburg - darauf bedacht, den Gegensatz zwischen den linksradikalen und den unabhängig-sozialdemokratischen Kriegsgegnern zu verschärfen. Am 1. Januar 1916 trat in seinem Rechtsanwaltsbüro die Reichskonferenz der Gruppe Internationale zusammen: Unter ihnen befanden sich außer Liebknecht noch Heinrich Brandler, Hugo Eberlein, Franz Mehring, Ernst Meyer, Wilhelm Michalski, Karl Minster, Fritz Rück, Otto Rühle, Georg Schumann, August und Berta Thalheimer.[1] Es herrschte Einigkeit darüber, sich scharf von der Sozialdemokratischen Arbeitsgemeinschaft (der späteren USPD) abzugrenzen, und es wurden die von Rosa Luxemburg im Gefängnis ausgearbeiteten Leitsätze - die den Widerspruch des marxistischen Zentrums um Karl Kautsky herausforderten - verabschiedet. Insbesondere durch seinen dezidierten Antiparlamentarismus hob sich Liebknecht von Sozialisten wie Haase, Dittmann und Kautsky (den späteren Unabhängigen) ab. So schrieb er Anfang November 1916 im Zuchthaus Luckau:

»Fassen wir die Aufgaben des parlamentarischen Kampfes so auf, wie die Kämpen von der Arbeitsgemeinschaft ihn führen?

Gewiß nicht! Wir sind weder harrende Narren noch parlamentarische Droschkengäule, die stets die alten Straßen traben, vor jeder Neuerung der parlamentarischen Taktik scheuend, noch Musterknaben des guten Tons und trocknen Tons, den wir mit allen politischen Philistern, Schlafröcken und Filzpantoffeln dorthin wünschen, wo der Pfeffer wächst ... Nicht in Sitzungen und Konferenzen fällt die Entscheidung, sondern in den Fabriken, auf den Straßen, im Heere. Dem Proletariat lebt nur ein Erlöser: das Proletariat selbst. Das Parlament kann ihm kein Erlöser sein - trotz aller ›Vorwärts‹-

Brunst, am wenigsten das erbärmlichste aller Parlamente, der deutsche Reichstag.«[2] Liebknecht gab zu erkennen, daß er das Parlament lediglich als Tribüne des Klassenkampfes, als revolutionäre Tribüne verstanden wissen wollte:

»Und doch kann es der revolutionären Bewegung wichtige Hilfe leisten. Aber nicht als Gesetzesfabrik, nicht als Schwatztheater und Gebetsmühle einer parlamentarischen ›Opposition‹, sondern indem es vom Klassenkämpfer, der sein parlamentarisches Mandat nur für diesen Zweck erworben hat, zur revolutionären Tribüne verwandelt wird, von der er den Feuerbrand ins Gebälk der herrschenden Ordnung und den Schlachtruf in die Massen schleudert.«[3]

Dem späteren Unabhängigen Sozialdemokraten Dittmann warf er vor, er bewege sich »trotz des radikalen Kleides, auf dem Boden des hergebrachten parlamentarischen Kretinismus.«[4] Der Sozialist, der das Parlament nicht »in den Dienst der Massenaktion« stelle, mache »es zur plappernden Spinnstube oder zu Schlimmerem.«[5]

Neben den Unabhängigen attackierte er immer wieder den Mehrheitssozialisten Philipp Scheidemann, insbesondere nachdem dieser in das Kabinett des Prinzen von Baden - während der kurzen Zeit, da es in Deutschland eine parlamentarische Monarchie gab - eingetreten war. Liebknechts Polemik kannte hierbei - ähnlich wie diejenige Rosa Luxemburgs - kein Maß und keine Grenzen. Mit Scheidemann, schrieb er im September 1918, sitze nicht ein »Führer«, sondern ein »Verführer« der Arbeiterschaft in der Regierung. Dieser Verführer diene dazu, die Arbeiterschaft zu veranlassen, sich für ihre »Erzfeinde begeistert hinschlachten zu lassen«, und gebe sich zur »infamen Komödie des Volksbetrugs« und zu »dem schändlichsten Manöver«, welches gegen die Arbeiterschaft verübt wurde, her. Scheidemann bedeute »Verlängerung des Kriegs und Vorbereitung neuer Kriege« und dazu »Klassenjustiz, Kriegsgerichte, Schutzhaft ...«[6] Auf Grund einer Amnestie der preußischen Regierung wurde Karl Liebknecht Mitte Oktober 1918 aus dem Zuchthaus entlassen. Eine riesige Menschenmenge erwartete ihn auf dem Platz vor dem Anhalter Bahnhof in Berlin - wo er am 23. Oktober eintraf - und geleitete ihn zur russischen Botschaft.

Die Bolschewiki konnten voll Genugtuung feststellen: »Karl und wir sind uns vollkommen einig.« Beide erstrebten die Diktatur des Proletariats.[7] Liebknecht fiel automatisch die Führung der Gruppe Internationale bzw. Spartakusgruppe, die damals noch eine Kaderorganisation innerhalb der Unabhängigen Sozialdemokratischen Partei Deutschlands war, zu. Der Vorstand der USPD wollte ihn kooptieren, aber Liebknecht stellte die unannehmbare Forderung, die USPD - eine Partei mit Massenbasis - sollte das Programm und die Strategie der Spartakusgruppe - also einer verhältnismäßig kleinen Organisation - übernehmen.

Am 26. Oktober nimmt Karl Liebknecht gemeinsam mit dem späteren DDR-Staatspräsidenten Wilhelm Pieck an den Sitzungen der Revolutionären Obleute teil. Sie werden zusammen mit Ernst Meyer in die Leitung des Vollzugsausschusses gewählt. Liebknecht und Pieck verhandeln mit den Obleuten über einen Aufstand. Es bestehen aber Meinungsverschiedenheiten über die Modalitäten und über den Zeitpunkt. Liebknecht gönnt sich keine Pause; rastlos spricht er auf den Plätzen, an den Straßenecken, in Fabriken und Kasernen zu Arbeitern und Soldaten und versucht sie für die Ziele der Spartakusgruppe zu gewinnen. Am 6. November richtet er ein Grußschreiben an den VI. Allrussischen Sowjetkongreß:

»... Es lebe die russische Revolution!

Es lebe das Sowjetrußland der Arbeiter und Bauern!

Es lebe die soziale Weltrevolution!

Es lebe die Diktatur des internationalen Proletariats!«[8] Wenige Tage später fixiert er in einem gemeinsam mit Ernst Meyer verfaßten Flugblatt die Nahziele der Gruppe Internationale bzw. der Spartakusgruppe:

»1. Befreiung aller zivilen und militärischen Gefangenen.
2. Aufhebung aller Einzelstaaten und Beseitigung aller Dynastien.
3. Wahl von Arbeiter- und Soldatenräten, Wahl von Delegierten hierzu in allen Fabriken und Truppenteilen.
4. Sofortige Aufnahme der Beziehungen zu den übrigen deutschen Arbeiter- und Soldatenräten.
5. Übernahme der Regierung durch die Beauftragten der Arbeiter- und Soldatenräte.
6. Sofortige Verbindung mit dem internationalen Proletariat, insbesondere mit der russischen Arbeiterrepublik ...«[9]

Inzwischen ist vieles in Bewegung geraten. Die Matrosen bilden auf den Schiffen geheime Matrosenräte, die Heizer löschen bei der letzten geplanten Kriegsfahrt das Feuer unter den Kesseln und erzwingen somit die Rückkehr der Schiffe in die Häfen. Matrosen solidarisieren sich in Kiel mit revolutionären Arbeitern. Am 9. November bricht der Generalstreik in Berlin aus. Bewaffnete Arbeiter und Soldaten strömen zu Tausenden und Abertausenden durch die Straßen. Der Prinz von Baden übergibt dem SPD-Vorsitzenden Ebert die Regierungsgeschäfte. Fast zur selben Zeit, da Liebknecht die sozialistische Republik proklamiert, ruft der Sozialdemokrat Philipp Scheidemann mit größerem Erfolg die demokratische Republik aus. »Rat der Volksbeauftragten« nennt sich die neue Reichsregierung, die sich paritätisch aus Mitgliedern der SPD und der USPD zusammensetzt. Auch Liebknecht wird gebeten, in die Regierung einzutreten. Er stellt klare Bedingungen: »1. Deutschland soll eine sozialistische Republik sein. 2. In dieser Republik soll die gesamte exekutive, legislative, jurisdiktionelle Macht ausschließlich in den Händen von gewählten Vertrauensmännern der gesamten werktätigen Bevölkerung und der Soldaten sein. 3. Ausschluß aller bürgerlichen Mitglieder aus der Regierung. 4. Die Beteiligung der Unabhängigen gilt nur für drei Tage, als ein Provisorium, um eine für den Abschluß des Waffenstillstandes fähige Regierung zu schaffen ...«[10]

Aber weder die reinen Anhänger der parlamentarischen Demokratie, wie die Mehrheitssozialdemokraten Ebert und Scheidemann, noch die Befürworter einer Mischform von Parlamentarismus und Rätesystem, wie die Unabhängigen Sozialdemokraten, können diese Forderungen, die sich gegen das Prinzip von Gewaltenteilung und parlamentarischer Kontrolle wenden, akzeptieren.

Ende November versucht noch einmal der Unabhängige Kurt Eisner, dem in München eine unblutige Revolution geglückt ist, Liebknecht zu einem Beitritt zum Rat der Volksbeauftragten zu bewegen. Doch es gelingt ihm nicht, ihn in einem zweistündigen Gespräch zu überzeugen. Liebknecht will keine Konzessionen machen und keine Kompromisse schließen. Seine Aufgabe sieht er darin, die Arbeiter zu bewaffnen und die Regierung zu stürzen. Unablässig warnt er vor der Konterrevolution. So ruft er am 10. November der Vollversammlung der Berliner Arbeiter- und Soldatenräte im Zirkus Busch zu:

»Ich muß Wasser in den Wein Eurer Begeisterung schütten. Die Gegenrevolution ist bereits auf dem Marsche, sie ist bereits in Aktion! (Zwischenrufe: Wo denn?) Sie ist bereits hier unter uns! ... Es drohen Gefahren für die Revolution von vielen Seiten. (Rufe: Von Ihnen!) Gefahren nicht nur aus den Kreisen, die bis dahin das Heft in der Hand gehabt haben, als Scharfmacher, Agrarier, Junker, Kapitalisten, Imperialisten, Monarchisten, Fürsten, Generäle, sondern auch von jenen, die heute mit der Revolution gehen und vorgestern noch Feinde der Revolution waren ... In heimtückischer Weise wird die Soldatenorganisation von den Feinden der Revolution für ihre Zwecke ausgenutzt ...« Immer wieder wird Liebknecht von lebhaften Zwischenrufen wie »Abtreten!« und »Tatsachenverdreher!« unterbrochen. »Der Triumph der Revolution«, so schließt er, »wird nur möglich sein, wenn sie zur sozialen Revolution wird, nur dann wird sie die Kraft besitzen, die Sozialisierung der Wirtschaft, Glück und Frieden für alle Ewigkeit zu sichern.« Nur eine kleine Minderheit spendet ihm Beifall, die überwiegende Mehrheit quittiert seine Ausführungen mit andauernder Unruhe und dem Ruf nach »Einigkeit!«[11]

Am 11. November trifft sich im Hotel Excelsior am Berliner Anhalter Bahnhof die Zentrale der Spartakusgruppe: Rosa Luxemburg, Karl Liebknecht, Leo Jogiches, Franz Mehring, Ernst Meyer, Hermann und Käte Duncker, Paul Levi, Paul Lange, August Thalheimer und Wilhelm Pieck. Die Spartakusgruppe wird in »Spartakusbund« umbenannt. Karl Liebknecht, Rosa Luxemburg, Thalheimer, Levi und Lange bilden die Redaktion der »Roten Fahne«. Immer wieder spricht Karl Liebknecht auf Massenkundgebungen vor Arbeitern und Soldaten. Er agitiert gegen die Nationalversammlung und für Rätemacht und sozialistische Republik. Entschieden wendet er sich gegen eine Einheit der Arbeiterbewegung um jeden Preis, gegen einen »Burgfrieden« zwischen Mehrheitssozialdemokraten, Unabhängigen und Spartakisten: »... Aber nicht jede ›Einigkeit‹ macht stark. Einigkeit zwischen Feuer und Wasser verlöscht das Feuer und verdampft das Wasser; Einigkeit zwischen Wolf und Lamm liefert das Lamm dem Wolfe zum Fraß; Einigkeit zwischen Proletariat und herrschenden Klassen opfert das Proletariat; Einigkeit mit Verrätern bedeutet Niederlage.«[12]

Liebknecht ist zum Hauptbürgerschreck geworden. Die tollsten Gerüchte über ihn schwirren durch die Gegend. Plakate stacheln zum Mord auf. Überall brandet ihm Pogromhetze entgegen. Viele werden dabei schuldig - indirekt auch manche Sozialdemokraten, die zu wenig gegen die Rufmordkampagne unternehmen. Rosa Luxemburg kennzeichnet in der »Roten Fahne« vom 20. November seine Situation als Bürgerschreck, als negative Symbolfigur und als Gegenstand von widersprüchlichen Spekulationen.

»Liebknecht hat in Spandau 200 Offiziere ermordet. Liebknecht ist in Spandau ermordet worden ... Liebknecht plündert die Läden. Liebknecht verteilt Geld unter die Soldaten, um sie zur Gegenrevolution aufzustacheln ... Verschiedene Personen haben sich an Liebknecht mit der rührenden persönlichen Bitte gewandt, ihre Gatten, Neffen oder Tanten von dem beabsichtigten bethlehemitischen Kindermord, den die Spartakusse planten, ausnehmen zu wollen ...[13]

Es reibt Liebknecht die unablässige Sorge auf, daß die Revolution - wie er sie versteht - verfälscht werden könne. Immer wieder fordert er eine Bewaffnung der proletarischen Massen, die Bildung einer Roten Garde, die »Durchführung einer demokratischen Heeresorganisation«, die »Ausmerzung aller gegenrevolutionären Offiziere«, die »Entwaffnung aller nicht proletarisch-revolutionären Elemente« und die »Beseitigung aller Offiziere und sonstigen Angehörigen der herrschenden Klassen aus den Soldatenräten und ihre Ersetzung durch erprobte revolutionäre proletarische Soldaten.«[14]

Vergeblich richtet er den Appell an den vom 16. bis zum 21. Dezember in Berlin tagenden Reichsrätekongreß, alle Macht den Arbeiter- und Soldatenräten zu übertragen. Liebknecht und Rosa Luxemburg gelingt es noch nicht einmal, ein Mandat für den Kongreß zu erhalten. Der Reichskongreß, auf dem die Sozialdemokraten die Mehrheit besitzen, spricht sich für die parlamentarische Demokratie aus. Die Sozialdemokraten sehen hierin den einzig legitimen Weg zum Sozialismus. Für Liebknecht hingegen »ist gerade umgekehrt erst der verwirklichte Sozialismus die grundlegende Voraussetzung für eine wahre Demokratie«, und er tut die geplante Nationalversammlung verächtlich als »Schwatzbude« ab.[15]

Im Gegensatz zu Rosa Luxemburg und insbesondere zu Leo Jogiches, die der Abspaltung des Spartakusbundes von der USPD skeptisch bzw. ablehnend gegenüberstehen, drängt Liebknecht auf die Bildung einer neuen linken Partei. Unterschiede gibt es zwischen Rosa Luxemburg und Karl Liebknecht auch in der Bewertung der russischen Revolution und des bolschewistischen Regimes. Bei Rosa Luxemburg ist die kritische Distanz zu dem Geschehen in Rußland weitaus größer als bei Liebknecht, der im Zuchthaus lediglich vorübergehend Lenins Politik beim Friedensvertrag von Brest-Litowsk beanstandet hat.

So verwundert es nicht, daß Liebknecht Ende Dezember 1918 auf der Sitzung der Spartakuszentrale für den Namen »Kommunistische Partei« - der die enge Verbindung mit den Bolschewiki unterstreichen soll - plädiert, während Rosa Luxemburg für den Namen »Sozialistische Partei« eintritt. Meinungsverschiedenheiten tauchen auch am nächsten Tag bei der Reichskonferenz des Spartakusbundes (die sich als Gründungsparteitag der KPD konstituiert) auf. Liebknecht befürwortet zwar ebenso wie Rosa Luxemburg eine Teilnahme der jungen Partei an der Wahl zur Nationalversammlung, andererseits nimmt er diese Frage, die für ihn keine »Kabinettsfrage« ist, lange nicht so wichtig wie seine Mitstreiterin. In der Frage des revolutionären Terrors versucht Liebknecht zwischen Rosa Luxemburg und Paul Frölich (der ihre Ablehnung des Terrors in dem Programm des Spartakusbundes kritisiert hat) zu vermitteln. Er setzt hierbei entschieden andere Akzente als Rosa Luxemburg und nähert sich der leninistischen Position:

»Genossen, von dem Genossen Frölich ist Kritik geübt worden an dem einen Passus, der sich gegen den Terror als Kampfmittel der proletarischen Revolution richtet. Genosse Levien hat sich bereits gegen diese Ausführungen gewandt. Ich möchte noch darauf hinweisen: es ist hier ganz deutlich zum Ausdruck gebracht, in welchem Sinne dieser Protest gegen den Terror als proletarisches Kampfmittel gemeint ist. Es ist gesagt: das Proletariat als solches, wenn es nach seinem Willen geht, es wünscht keinen Terror, es braucht keinen Terror. Es ist aber weiter gesagt, daß wir zu gewärtigen haben, daß die herrschenden Klassen mit Zähnen und Nägeln ihre Machtstellungen verteidigen, und daß die Aufgabe des Proletariats ist, diesen Widerstand der herrschenden Klassen und alle gegenrevolutionären Versuche mit aller Rücksichtslosigkeit, mit eiserner Faust niederzuwerfen.

(Sehr richtig! Bravo!)

Damit ist zum Ausdruck gebracht, daß wir nicht eine Limonadenrevolution zu machen gedenken,

(Sehr gut!)

sondern, daß wir entschlossen sind, die eiserne Faust zu erheben und auf jeden niederzuschmettern, der der sozialen Revolution des Proletariats Widerstand entgegensetzt.«[16]

Liebknecht zeigt auch in einem Gespräch mit Karl Radek weitaus mehr Verständnis für den bolschewistischen Terror als Rosa Luxemburg. Der durch die Absetzung des Berliner Polizeipräsidenten Emil Eichhorn (vom linken Flügel der USPD) hervorgerufene Entschluß zum Aufstand vom Januar 1919 wird zwar ohne Liebknechts eigene Initiative gefaßt, findet aber von vornherein seine Billigung. Gemeinsam mit dem linken Unabhängigen Ledebour und mit Paul Scholze von den Revolutionären Obleuten steht Liebknecht an der Spitze eines dreiunddreißigköpfigen Revolutionsausschusses. Liebknecht - wie auch Wilhelm Pieck - vertritt in dem Ausschuß weitaus radikalere Ansichten als seine Partei. Ohne Wissen der KPD-Leitung spricht er sich für den Kampf aus, so daß Rosa Luxemburg die vorwurfsvolle Frage an ihn richtet: »Karl, ist das unser Programm?«[17] Liebknecht geht hierbei auch nicht mit den russischen Bolschewiki konform. Karl Radek, der einzige Repräsentant der Bolschewiki in Berlin, drängt die Parteileitung der KPD zu ihrem Beschluß vom 10. Januar 1919, ihre Delegierten aus dem Revolutionsausschuß zurückzuziehen.

Noch in seinem letzten Artikel »Trotz alledem!« rechtfertigt Liebknecht die bewaffnete Erhebung mit dem Hinweis auf die Ersetzung des linksradikalen Polizeipräsidenten Eichhorn durch den Sozialdemokraten Eugen Ernst unter dem preußischen Ministerpräsidenten und Innenminister Paul Hirsch (ebenfalls SPD): »Und dennoch - der Kampf war unvermeidlich. Denn das Polizeipräsidium, dieses Palladium der Revolution, den Eugen Ernst und Hirsch kampflos preisgeben, wäre ehrlose Niederlage gewesen. Der Kampf war dem Proletariat aufgezwungen von der Ebert-Bande; und elementar brauste er aus den Berliner Massen hervor - über alle Zweifel und Bedenken hinweg ... Die Geschlagenen von heute werden die Sieger von morgen sein ...«[18]

Liebknecht distanziert sich hiermit auch indirekt von solchen Parteigenossen, die den Aufstand als sinnloses Abenteuer betrachten. In einer hymnischen und parareligiösen Sprache beschwört er den kommenden »Tag der Erlösung« und die »Posaunen des Jüngsten Gerichts« nach dem »Golgathaweg der deutschen Arbeiterklasse«.[19]

Am selben Tag, da der Artikel »Trotz alledem!« in der »Roten Fahne« erscheint - am 15. Januar 1919 - wird Karl Liebknecht, ebenso wie Rosa Luxemburg, von Angehörigen der Gardekavallerie-Schützendivision gefangengenommen und ermordet. Es ist das erste Glied einer langen Kette von politischen Morden, als deren Opfer nur stellvertretend für viele Matthias Erzberger und Walter Rathenau genannt werden sollen.

Rosa Luxemburg und Karl Liebknecht - Kritische Schlußbetrachtung

Es kann kein Zweifel sein: Rosa Luxemburgs und Karl Liebknechts menschliche Größe, ihr geistiger Rang, ihre Willenskraft, ihr Idealismus, ihr Mut, insbesondere ihr unerschrockener Kampf gegen das Völkergemetzel des 1. Weltkrieges verdienen höchsten Respekt. Vor ihnen können auch Andersdenkende die Stirn neigen.

Oft und gern werden sie zu Heroen der Revolution hochstilisiert. Man soll dabei nicht vergessen, wie viel nach dem 9. November 1918 geschah, was weder von ihnen beeinflußt noch gebilligt wurde. Beide konnten kein Mandat für den Reichsrätekongreß Mitte Dezember 1918 erringen. Ihre Warnungen vor der parlamentarischen Demokratie wurden von diesem nicht beachtet: Nur eine verschwindende Minderheit der Delegierten war auf das Spartakusprogramm eingeschworen. Andererseits vollzog sich die Entwicklung vom Spartakusbund zur Kommunistischen Partei gegen retardierende Bedenken Rosa Luxemburgs, die zudem noch einen anderen Namen wünschte. Auf dem Gründungsparteitag der KPD wurden beide - Rosa Luxemburg wie Karl Liebknecht - in der Frage der Wahlbeteiligung für die Nationalversammlung überstimmt. Der Januaraufstand wurde von Rosa Luxemburg nicht gewünscht und von Karl Liebknecht zwar gebilligt, aber nicht direkt ausgelöst. Aber das tragische Scheitern der beiden großen Spartakisten hat wohl für viele Idealisten, die der Ansicht sind, daß der Erfolg klein mache, etwas ungemein Anziehendes. Es entsteht die Gefahr einer pseudoreligiösen Verehrung. Schon bei Rosa Luxemburg und Karl Liebknecht finden wir ja manchen Text, der politische Dinge pseudoreligiös verklärt und Politik mit einer Heilslehre verwechselt. Beide wurden zu Protagonisten eines kompromißlosen Purismus, der sich im Besitz der vorgegebenen Wahrheit wähnt. Zwar wandte sich Rosa Luxemburg gelegentlich gegen eine übertriebene Kompromißlosigkeit. So schrieb sie am 17. XII. 1904 an Henriette Roland Holst-van der Schalk: »Ich bin nämlich keineswegs mit der derzeitigen Rolle entzückt, die der sogenannte orthodoxe ›Radikalismus‹ bis jetzt gespielt hat.« Und sie mokierte sich über »die Sicherheit, mit der manche unserer radikalen Freunde stets nur für nötig halten, das verirrte Schaf - die Partei wieder in den sicheren heimatlichen Stall der ›Prinzipienfestigkeit‹ zurückzuführen und dabei nicht empfinden, daß wir auf diese rein negative Weise keinen Schritt vorwärts kommen.«[1]

Aber Rosa Luxemburgs langjährige Freundin Henriette Roland-Holst bezeugt selbst, daß auch Rosa Luxemburg »von Natur aus zu einem politisch idealistischen Radikalismus« neigte, »den sie nicht bei Marx gelernt hat, und der die Gefahr einer Flucht aus der Wirklichkeit in sich barg.«[2] Schon 1899 hatte sie erklärt, sie wolle sich ihre Epauletten auf dem linken Flügel verdienen, »und nicht auf dem rechten, wo man mit dem Feinde kompromisseln will«.[3] Während des 1. Weltkrieges schrieb sie aus dem Gefängnis an Mathilde Wurm, sie werde »nunmehr weder politisch noch im persönlichen Umgang auch die geringste Konzession machen«.[4] Es ist wohl ihrer Kompromißlosigkeit zuzuschreiben, daß sie am Anfang ihrer Laufbahn an der Spaltung der polnischen Sozialdemokratie und am Ende an der Dreispaltung der deutschen Arbeiterbewegung beteiligt war.

Karl Liebknecht demonstrierte seine Kompromißlosigkeit, als er 1918 von dem Parteivorstand der USPD für den Fall seiner Kooptierung wie auch von dem Rat der Volksbeauftragten für den Fall seines Beitrittes die Übernahme des Spartakusprogrammes verlangte. Seine Schwäche lag darin, daß er nach dem 9. November nicht bereit war, Regierungsverantwortung zu tragen. Das Fatale der Luxemburgschen wie der Liebknechtschen Kompromißlosigkeit wird besonders evident, wenn man sich vergegenwärtigt, daß sie während des 1. Weltkrieges nicht nur die Burgfriedenspolitik des SPD-Parteivorstandes, sondern auch die sozialdemokratischen Kriegsgegner um Karl Kautsky, Haase und Dittmann heftig bekämpften.

Wegen ihres kompromißlosen Purismus mußten Rosa Luxemburg und Karl Liebknecht auch die parlamentarische Demokratie - nach Eduard Bernstein die Hochschule des Kompromisses - ablehnen.

Der Gegensatz zwischen Bernstein und Rosa Luxemburg spiegelt auch den alten philosophischen Streit zwischen Intellektualismus und Voluntarismus - zwischen dem Primat des Geistes oder des Willens - wider, der die ganze neuzeitliche Philosophiegeschichte durchzieht und bis auf den Universalienstreit im Mittelalter zurückreicht. Eduard Bernstein, der praktische Reformarbeit und Theorie in Einklang bringen wollte, der gründliche Schulung als Voraussetzung für jede verantwortliche Tätigkeit ansah und der für das parlamentarische Regierungssystem eintrat (das als »government by discussion« auf die alte intellektuelle Tradition der Wahrheitssuche durch das Gespräch oder den sokratischen Dialog zurückgeht), verteidigte, wie teilweise auch Karl Kautsky, das intellektuelle Prinzip gegen den Vorherrschaftsanspruch des politischen Voluntarismus.

Hingegen kann man Rosa Luxemburg, diese sehr intellektuell geprägte Frau, dennoch als weltanschauliche und politische Voluntaristin betrachten. Ihre Freundin Henriette Roland Holst-van der Schalk weist treffend darauf hin, daß Rosa Luxemburgs Auffassung vom Marxismus wie diejenige Lenins »stark voluntaristisch und aktivistisch gefärbt« war.[5] Rosa Luxemburg bekannte sich, wie zuletzt in ihrer Progamm-Rede auf dem Gründungsparteitag der KPD, zu dem Prinzip »Im Anfang war die Tat«.[6] In ihrem Aktionismus und Voluntarismus ähnelt Rosa Luxemburg dem französischen Syndikalisten Georges Sorel, der auch den politischen Voluntaristen Benito Mussolini inspiriert hat. Beide - Rosa Luxemburg wie der geistige Vater und spätere Bewunderer Mussolinis, Georges Sorel - waren sich, wie der Rosa Luxemburg-Biograph Peter Nettl nachweist,[7] trotz aller Gegensätze »in ihrer Gleichsetzung von Moral und Aktion« einig. Karl Liebknecht kritisierte zwar 1907 indirekt den Voluntarismus, als er in seiner Schrift »Militarismus und Antimilitarismus« ausführte: »Der Anarchismus will alle in der ökonomischen und sozialen Lage wurzelnden Schwierigkeiten auf ungezäumtem Pferde überspringen oder - je nachdem - das Pferd am Schwanze aufzäumen. Ihm gilt das Leitmotiv: Am Anfang war die Tat.«[8] Andererseits kann man viele voluntaristische und aktionistische Elemente bei Karl Liebknecht entdecken. Beide - Rosa Luxemburg wie Karl Liebknecht - standen teilweise einer gefährlichen Lebensphilosophie (etwa dem élan vital eines Henri Bergson) nahe. Der Gegensatz zwischen Karl

Liebknecht und seiner Mitstreiterin einerseits und den Sozialdemokraten andererseits entspricht - um es in den Denkkategorien von Max Weber zu formulieren - dem Gegensatz zwischen reiner Gesinnungsethik und Verantwortungsethik.

Wie sehr auch die Burgfriedenspolitik der SPD während des 1. Weltkrieges und ihre Vertrauensseligkeit gegenüber Offizieren nach dem 9. November 1918 zu Kritik Anlaß geben kann, so ist andererseits nicht zu übersehen, daß Rosa Luxemburgs Spott über die »derbe Parvenügestalt des Ebert«[9] und die Denunziation von Ebert und Scheidemann als »Zuchthäusler«[10] den Boden für hämische Witzeleien von Spießbürgern über den ehemaligen Sattlergesellen und Schankwirt an der Spitze des Reiches und für die antidemokratische Hetze gegen die angeblichen »Novemberverbrecher« bereiten half.

Rosa Luxemburg und Karl Liebknechts Rätemodell stand im Gegensatz zu der demokratischen Forderung nach einem allgemeinen, freien und gleichen Wahlrecht. Neben »Offizieren und Kapitulanten« - die ausdrücklich genannt wurden - wären noch viele andere Bevölkerungskreise vom Wahlrecht für die Arbeiter- und Soldatenräte ausgeschlossen worden. Gegenüber der parlamentarischen Demokratie mit ihrer Zweistufigkeit der politischen Willensbildung (Wahl des Parlamentes durch die Bevölkerung, Wahl des Regierungschefs durch das Parlament bzw. Bildung der Regierung nach der Zusammensetzung des Parlamentes) wollten sie eine Vierstufigkeit von regionalem Arbeiterrat, Zentralrat, Vollzugsrat und Volksbeauftragten. Direkt wäre nur der regionale Arbeiterrat gewählt worden. Dies erinnert etwas an die Pläne konservativer Kreise, die parlamentarische Demokratie durch einen sogenannten organischen Aufbau - direkte Wahl nur auf unterster Ebene und Ermittlung des Zentralparlamentes durch eine Kette von indirekten Wahlen - zu ersetzen. Die ständige Möglichkeit einer Ab- bzw. Neuwahl im Rätesystem (nach Rosa Luxemburg allerdings nur in der von ihr konzipierten Mehrstufigkeit) wäre einer kleinen kämpferischen Minderheit zugute gekommen, die als disziplinierte Kadergruppe alle Willensentscheidungen beeinflußt und alle renitenten Delegierten sofort abgesetzt hätte. Zumal wäre es wegen der fehlenden Gewaltenteilung schlecht um die Rechte des Einzelnen bestellt. Die Entwicklung in Rußland nach 1917 zeigt, wie leicht das Rätesystem durch eine disziplinierte Minderheit (in den russischen Räten verfügten anfangs die Sozialrevolutionäre und die Menschewiki über eine überwältigende Mehrheit!) zu einer Parteidiktatur umgestaltet werden kann.

Die Rätekonzeption der Spartakisten wurde auch von vielen Rechtsextremen, insbesondere von Anhängern des Ständestaatsgedankens in den 20er Jahren, als ein wirksames Instrument zur Zertrümmerung der parlamentarischen Demokratie angesehen. Das sozialistische Räteprinzip unterscheidet sich zwar vom konservativen Ständestaatsmodell durch den Klassenkampfgedanken und die Privilegierung der Arbeiterschaft. Andererseits verbindet sie vieles miteinander. Beide Staatskonzeptionen beurteilen den Menschen einseitig nach seiner wirtschaftlichen Funktion (wobei sie Außenseiter der Gesellschaft ebenso wie den Verbraucher übersehen müssen); beide wenden sich gegen das demokratische Gleichheitsprinzip; und beide stellen wegen der Unklarheit der politischen Willensbildung das weiche Wachs dar, welches ein starker Mann nach Belieben kneten kann. Arthur Moeller van den Bruck, der als nihilistischer Konservativer trotz seinem Gegensatz zu Adolf Hitler mit dem Buch »Das dritte Reich« zum geistigen Wegbereiter des Nationalsozialismus wurde, betonte die Gemeinsamkeit des Räte- wie des Ständestaatsgedankens und ihre gemeinsame Stoßrichtung gegen den Parlamentarismus: »Es war nur folgerichtig, daß der Angriff gegen den Parlamentarismus, dem revolutionär der Angriff vom Rätegedanken aus entsprach, konservativ vom Ständegedanken aus vorgetragen wurde ... Korporative und syndikalistische Vorstellungen vermischten sich, nicht ohne daß auch dabei Ausblicke auf den Rätegedanken fielen und seine Einbeziehung in einen deutschen Ständestaat nahelegten.«[11] Im gleichen Sinne erklärte der österreichische Ständestaatsideologe Othmar Spann, »der Rätegedanke selbst enthält einen starken Keim zu *ständischer* Entwicklung (nicht eigentlich gleichmacherisch-kommunistischer) in sich.«[12]

Karl Liebknechts Kennzeichnung des Parlamentes als »Schwatzbude« wurde nicht nur von Lenin, sondern auch von Rechtsextremen begierig aufgegriffen. Der Spartakusbund beziehungsweise die Kommunistische Partei richtete die erste Offensive gegen die parlamentarische Demokratie, die bald danach durch Angriffe der Rechtsextremen - man denke an den Kapp-Putsch von 1920 - ergänzt wurde.

Diese Hinweise ändern freilich nichts an der Tatsache, daß Rosa Luxemburg und Karl Liebknecht sich durch ihr anthropozentrisches Weltbild, durch ihre Menschenliebe und ihre Mitleidsmoral fundamental von rechtsgerichteten Kräften - mit ihrer Tendenz zur Menschenverachtung und ihrer Vorliebe für Kollektive wie Staat, Volkstum oder gar Rasse - unterschieden. Es wurde schon darauf hingewiesen, daß Karl Liebknecht die unerschrockensten, mutigsten, fundiertesten und geistreichsten Reden im Reichstag - wie auch im preußischen Abgeordnetenhaus - hielt und daß er wegen seines hohen Ethos, seiner Sachkenntnisse, seiner umfassenden Bildung und dem Farben- und Nuancenreichtum seiner Reden zu den glanzvollsten Parlamentariern der deutschen Geschichte gehört. Er, der im Reichstag immer wieder die Fahne der Menschlichkeit hochhielt gegenüber der Skrupellosigkeit der Rüstungsindustrie und ihrer Verbündeten, gegenüber Nationalismus, Militarismus und den Schrecken des 1. Weltkrieges; er, der die Parole »Alles oder nichts« verfolgte und der sich nach dem Zusammenbruch durch seinen Elan und seine Begeisterungsfähigkeit zu manchen Irrtümern hinreißen ließ - er eignet sich nicht für ein Heldengemälde, wohl aber für eine Tragödie klassischen Ausmaßes.

Es steht noch die Frage offen, ob Rosa Luxemburg und Karl Liebknecht mit der weiteren Entwicklung der Kommunistischen Partei nach ihrem Tode einverstanden gewesen wären. Rosa Luxemburg kreuzte schon die Klingen mit Lenin, und sie beanstandete seinen wie Trotzkis Terror. Um wieviel mehr hätte sie mit Stalin und seinen deutschen Satrapen in Konflikt geraten müssen!

Karl Liebknecht stand zwar dem russischen Bolschewismus weniger distanziert als Rosa Luxemburg gegenüber. Andererseits wich er im Revolutionsausschuß gelegentlich von der Parteilinie und von den Ratschlägen Karl Radeks ab. Er hätte sich sicherlich nicht als Apparatschik einspannen und zum Gleichschritt kommandieren lassen. Es kann aber trotzdem nicht abgestritten werden, daß sowohl Rosa Luxemburg als auch Karl Liebknecht teilweise totalitäre Denkmodelle vertraten.

Mit ihrem Bekenntnis zu dem Prinzip der Meinungs- und Gewissensfreiheit und zu dem Gedanken, daß der Mensch das Maß aller Dinge ist, standen sie hingegen der freiheitlichen Demokratie näher als dem Totalitarismus. Ihr selbstloses Engagement für die getretene Menschheit - insbesondere während des 1. Weltkrieges - bleibt ein Vermächtnis, nicht nur für ihre Anhänger und Bewunderer, sondern auch für viele Andersdenkende.

Anhang: Dokumente

I
Rosa Luxemburg: Was will der Spartakusbund?

I

Am 9. November haben Arbeiter und Soldaten das alte Regime in Deutschland zertrümmert. Auf den Schlachtfeldern Frankreichs war der blutige Wahn von der Weltherschaft des preußischen Säbels zerronnen. Die Verbrecherbande, die den Weltbrand entzündet und Deutschland in das Blutmeer hineingetrieben hat, war am Ende ihres Lateins angelangt. Das vier Jahre lang betrogene Volk, das im Dienste des Molochs Kulturpflicht, Ehrgefühl und Menschlichkeit vergessen hatte, das sich zu jeder Schandtat mißbrauchen ließ, erwachte aus der vierjährigen Erstarrung - vor dem Abgrund.

Am 9. November erhob sich das deutsche Proletariat, um das schmachvolle Joch abzuwerfen. Die Hohenzollern wurden verjagt, Arbeiter- und Soldatenräte gewählt.

Aber die Hohenzollern waren nie mehr als Geschäftsträger der imperialistischen Bourgeoisie und des Junkertums. Die bürgerliche Klassenherrschaft: das ist der wahre Schuldige des Weltkrieges in Deutschland wie in Frankreich, in Rußland wie in England, in Europa wie in Amerika. Die Kapitalisten aller Länder: das sind die wahren Anstifter zum Völkermord. Das internationale Kapital: das ist der unersättliche Baal, dem Millionen auf Millionen dampfender Menschenopfer in den blutigen Rachen geworfen werden.

Der Weltkrieg hat die Gesellschaft vor die Alternative gestellt: entweder Fortdauer des Kapitalismus, neue Kriege und baldigster Untergang im Chaos und in der Anarchie oder Abschaffung der kapitalistischen Ausbeutung.

Mit dem Ausgang des Weltkrieges hat die bürgerliche Klassenherrschaft ihr Daseinsrecht verwirkt. Sie ist nicht mehr imstande, die

Gesellschaft aus dem furchtbaren wirtschaftlichen Zusammenbruch herauszuführen, den die imperialistische Orgie hinterlassen hat.

Produktionsmittel sind in ungeheurem Maßstab vernichtet. Millionen Arbeitskräfte, der beste und tüchtigste Stamm der Arbeiterklasse hingeschlachtet. Der am Leben Gebliebenen harrt bei der Heimkehr das grinsende Elend der Arbeitslosigkeit, Hungersnot und Krankheiten drohen die Volkskraft an der Wurzel zu vernichten. Der finanzielle Staatsbankrott infolge der ungeheuren Lasten der Kriegsschulden ist unabwendbar.

Aus all dieser blutigen Wirrsal und diesem gähnenden Abgrund gibt es keine Hilfe, keinen Ausweg, keine Rettung als im Sozialismus. Nur die Weltrevolution des Proletariats kann in dieses Chaos Ordnung bringen, kann allen Arbeit und Brot verschaffen, kann der gegenseitigen Zerfleischung der Völker ein Ende machen, kann der geschundenen Menschheit Frieden, Freiheit, wahre Kultur bringen. Nieder mit dem Lohnsystem! Das ist die Losung der Stunde. An Stelle der Lohnarbeit und der Klassenherrschaft soll die genossenschaftliche Arbeit treten. Die Arbeitsmittel müssen aufhören, das Monopol einer Klasse zu sein, sie müssen Gemeingut aller werden. Keine Ausbeuter und Ausgebeutete mehr! Regelung der Produktion und Verteilung der Produkte im Interesse der Allgemeinheit. Abschaffung wie der heutigen Produktionsweise, die Ausbeutung und Raub, so des heutigen Handels, der nur Betrug ist.

An Stelle der Arbeitgeber und ihrer Lohnsklaven freie Arbeitsgenossen! Die Arbeit niemandes Qual, weil jedermanns Pflicht. Ein menschenwürdiges Dasein jedem, der seine Pflicht gegen die Gesellschaft erfüllt. Der Hunger hinfür nicht mehr der Arbeit Fluch, sondern des Müßiggängers Strafe!

Erst in einer solchen Gesellschaft sind Völkerhaß, Knechtschaft entwurzelt. Erst wenn eine solche Gesellschaft verwirklicht ist, wird die Erde nicht mehr durch Menschenmord geschändet. Erst dann wird es heißen: Dieser Krieg ist der letzte gewesen.

Sozialismus ist in dieser Stunde der einzige Rettungsanker der Menschheit. Über den zusammensinkenden Mauern der kapitalistischen Gesellschaft lodern wie ein feuriges Menetekel die Worte des »Kommunistischen Manifestes«:

Sozialismus oder Untergang in der Barbarei!

II

Die Verwirklichung der sozialistischen Gesellschaftsordnung ist die gewaltigste Aufgabe, die je einer Klasse und einer Revolution der Weltgeschichte zugefallen ist. Diese Aufgabe erfordert einen vollständigen Umbau des Staates und eine vollständige Umwälzung in den wirtschaftlichen und sozialen Grundlagen der Gesellschaft.

Dieser Umbau und diese Umwälzung können nicht durch irgendeine Behörde, Kommission oder ein Parlament dekretiert werden, sie können nur von der Volksmasse selbst in Angriff genommen und durchgeführt werden.

In allen bisherigen Revolutionen war es eine kleine Minderheit des Volkes, die den revolutionären Kampf leitete, die ihm Ziel und Richtung gab und die Masse nur als Werkzeug benutzte, um ihre Interessen, die Interessen der Minderheit, zum Siege zu führen. Die sozialistische Revolution ist die erste, die im Interesse der großen Mehrheit und durch die große Mehrheit der Arbeitenden allein zum Siege gelangen kann.

Die Masse des Proletariats ist berufen - nicht bloß der Revolution in klarer Erkenntnis Ziele und Richtung zu stecken. Sie muß auch selbst, durch eigene Aktivität Schritt um Schritt den Sozialismus ins Leben einführen.

Das Wesen der sozialistischen Gesellschaft besteht darin, daß die große arbeitende Masse aufhört, eine regierte Masse zu sein, vielmehr das ganze politische wirtschaftliche Leben selbst lebt und in bewußter freier Selbstbestimmung lenkt.

Von der obersten Spitze des Staates bis zur kleinsten Gemeinde muß deshalb die proletarische Masse die überkommenen Organe der bürgerlichen Klassenherrschaft, die Bundesräte, Parlamente, Gemeinderäte, durch eigene Klassenorgane, die Arbeiter- und Soldatenräte, ersetzen, alle Posten besetzen, alle Funktionen überwachen, alle staatlichen Bedürfnisse an dem eigenen Klasseninteresse und den sozialistischen Aufgaben messen. Und nur in ständiger, lebendiger Wechselwirkung zwischen den Volksmassen und ihren Organen, den Arbeiter- und Soldatenräten, kann ihre Tätigkeit den Staat mit sozialistischem Geiste erfüllen.

Auch die wirtschaftliche Umwälzung kann sich nur als ein von der proletarischen Massenaktion getragener Prozeß vollziehen. Die nackten Dekrete oberster Revolutionsbehörden über die Sozialisierung sind allein leeres Wort. Nur die Arbeiterschaft kann das Wort durch eigene Tat zum Fleische machen. In zähem Ringen mit dem Kapital, Brust an Brust, in jedem Betriebe, durch unmittelbaren Druck der Massen, durch Streiks, durch Schaffung ihrer ständigen Vertretungsorgane können die Arbeiter die Kontrolle über die Produktion und schließlich die tatsächliche Leitung an sich bringen.

Die Proletariermassen müssen lernen, aus toten Maschinen, die der Kapitalist an den Produktionsprozeß stellt, zu denkenden, freien, selbsttätigen Lenkern dieses Prozesses zu werden. Sie müssen das Verantwortungsgefühl wirkender Glieder der Allgemeinheit erwerben, die Alleinbesitzerin alles gesellschaftlichen Reichtums ist. Sie müssen Fleiß ohne Unternehmerpeitsche, höchste Leistung ohne kapitalistische Antreiber, Disziplin ohne Joch und Ordnung ohne Herrschaft entfalten. Höchster Idealismus im Interesse der Allgemeinheit, straffste Selbstdisziplin, wahrer Bürgersinn der Massen sind für die sozialistische Gesellschaft die moralische Grundlage, wie Stumpfsinn, Egoismus und Korruption die moralische Grundlage der kapitalistischen Gesellschaft sind.

Alle diese sozialistischen Bürgertugenden, zusammen mit Kenntnissen und Befähigungen zur Leitung der sozialistischen Betriebe, kann die Arbeitermasse nur durch eigene Betätigung, eigene Erfahrung erwerben.

Sozialisierung der Gesellschaft kann nur durch zähen, unermüdlichen Kampf der Arbeitermasse in ihrer ganzen Breite verwirklicht werden, auf allen Punkten, wo Arbeit mit Kapital, wo Volk mit bürgerlicher Klassenherrschaft einander ins Weiße des Auges blikken. Die Befreiung der Arbeiterklasse muß das Werk der Arbeiterklasse selbst sein.

III

In den bürgerlichen Revolutionen war Blutvergießen, Terror, politischer Mord die unentbehrliche Waffe in der Hand der aufsteigenden Klassen.

Die proletarische Revolution bedarf für ihre Ziele keines Terrors, sie haßt und verabscheut den Menschenmord. Sie bedarf dieser Kampfmittel nicht, weil sie nicht Individuen, sondern Institutionen bekämpft, weil sie nicht mit naiven Illusionen in die Arena tritt, deren Enttäuschung sie blutig zu rächen hätte. Sie ist kein verzweifelter Versuch einer Minderheit, die Welt mit Gewalt nach ihrem Ideal zu modeln, sondern die Aktion der großen Millionenmassen des Volkes, die berufen ist, die geschichtliche Mission zu erfüllen und die geschichtliche Notwendigkeit in Wirklichkeit umzusetzen.

Aber die proletarische Revolution ist zugleich die Sterbeglocke für jede Knechtschaft und Unterdrückung. Darum erheben sich gegen die proletarische Revolution alle Kapitalisten, Junker, Kleinbürger, Offiziere, alle Nutznießer und Parasiten der Ausbeutung und der Klassenherrschaft wie ein Mann zum Kampf auf Leben und Tod.

Es ist ein toller Wahn, zu glauben, die Kapitalisten würden sich gutwillig dem sozialistischen Verdikt eines Parlaments, einer Nationalversammlung fügen, sie würden ruhig auf den Besitz, den Profit, das Vorrecht der Ausbeutung verzichten. Alle herrschenden Klassen haben um ihre Vorrechte bis zuletzt mit zähester Energie gerungen. Die römischen Patrizier wie die mittelalterlichen Feudalbarone, die englischen Kavaliere wie die amerikanischen Sklavenhändler, die walachischen Bojaren wie die Lyoner Seidenfabrikanten - sie haben alle Ströme von Blut vergossen, sie sind über Leichen, Mord und Brand geschritten, sie haben Bürgerkrieg und Landesverrat angestiftet, um ihre Vorrechte und ihre Macht zu verteidigen.

Die imperialistische Kapitalistenklasse überbietet als letzter Sproß der Ausbeuterkaste die Brutalität, den unverhüllten Zynismus, die Niedertracht aller ihrer Vorgänger. Sie wird ihr Allerheiligstes, ihren Profit und ihr Vorrecht der Ausbeutung, mit Zähnen und Nägeln, mit jenen Methoden der kalten Bosheit verteidigen, die sie in der ganzen Geschichte der Kolonialpolitik und in dem letzten Weltkriege an den Tag gelegt hat. Sie wird Himmel und Hölle gegen das Proletariat in Bewegung setzen. Sie wird das Bauerntum gegen die Städte mobil machen, sie wird rückständige Arbeiterschichten gegen die sozialistische Avantgarde aufhetzen, sie wird mit Offizieren Metzeleien anstiften, sie wird jede sozialistische Maßnahme durch tausend Mittel der passiven Resistenz lahmzulegen suchen, sie wird der Revolution zwanzig Vendeen auf den Hals hetzen, sie wird den äußeren Feind, das Mordeisen der Clemenceau, Lloyd George und Wilson als Retter ins Land rufen, -

sie wird lieber das Land in einen rauchenden Trümmerhaufen verwandeln, als freiwillig die Lohnsklaverei preisgeben.

All dieser Widerstand muß Schritt um Schritt mit eigener Faust, rücksichtsloser Energie gebrochen werden. Der Gewalt der bürgerlichen Gegenrevolution muß die revolutionäre Gewalt des Proletariats entgegengestellt werden. Den Anschlägen, Ränken, Zettelungen der Bourgeoisie die unbeugsame Zielklarheit, Wachsamkeit und stets bereite Aktivität der proletarischen Masse. Den drohenden Gefahren der Gegenrevolution die Bewaffnung des Volkes und Entwaffnung der herrschenden Klassen. Den parlamentarischen Obstruktionsmanövern der Bourgeoisie die tatenreiche Organisation der Arbeiter- und Soldatenmasse. Der Allgegenwart und den tausend Machtmitteln der bürgerlichen Gesellschaft die konzentrierte, zusammengeballte aufs höchste gesteigerte Macht der Arbeiterklasse. Die geschlossene Front des gesamten deutschen Proletariats, des süddeutschen mit dem norddeutschen, des städtischen mit dem ländlichen, der Arbeiter mit den Soldaten, die lebendige geistige Fühlung der deutschen Revolution mit der Internationale, die Erweiterung der deutschen Revolution zur Weltrevolution des Proletariats vermag allein die granitene Basis zu schaffen, auf der das Gebäude der Zukunft errichtet werden kann.

Der Kampf um den Sozialismus ist der gewaltigste Bürgerkrieg, den die Weltgeschichte gesehen, und die proletarische Revolution muß sich für diesen Bürgerkrieg das nötige Rüstzeug bereiten, sie muß lernen, es zu gebrauchen - zu Kämpfen und Siegen.

Eine solche Ausrüstung der kompakten arbeitenden Volksmasse mit der ganzen politischen Macht für die Aufgaben der Revolution, das ist die Diktatur des Proletariats und deshalb die wahre Demokratie. Nicht wo der Lohnsklave neben dem Kapitalisten, der Landproletarier neben dem Junker in verlogener Gleichheit sitzen, um über ihre Lebensfragen parlamentarisch zu debattieren, dort, wo die millionenköpfige Proletariermasse die ganze Staatsgewalt mit ihrer schwieligen Faust ergreift, um sie, wie der Gott Thor seinen Hammer, den herrschenden Klassen aufs Haupt zu schmettern, dort allein ist die Demokratie, die kein Volksbetrug ist.

Um dem Proletariat die Erfüllung dieser Aufgaben zu ermöglichen, fordert der Spartakus-Bund:

1. Als sofortige Maßnahme zur Sicherung der Revolution:

1. Entwaffnung der gesamten Polizei, sämtlicher Offiziere sowie der nichtproletarischen Soldaten, Entwaffnung aller Angehörigen der herrschenden Klassen.

2. Beschlagnahme aller Waffen- und Munitionsbestände sowie Rüstungsbetriebe durch Arbeiter- und Soldatenräte.

3. Bewaffnung der gesamten erwachsenen männlichen proletarischen Bevölkerung als Arbeitermiliz. Bildung einer Roten Garde aus Proletariern als aktiven Teil der Miliz zum ständigen Schutz der Revolution vor gegenrevolutionären Anschlägen und Zettelungen.

4. Aufhebung der Kommandogewalt der Offiziere und Unteroffiziere. Ersetzung des militärischen Kadavergehorsams durch freiwillige Disziplin der Soldaten. Wahl aller Vorgesetzten durch die Mannschaften unter jederzeitigem Rückberufungsrecht. Aufhebung der Militärgerichtsbarkeit.

5. Entfernung der Offiziere und der Kapitulanten aus allen Soldatenräten.

6. Ersetzung aller politischen Organe und Behörden des früheren Regimes durch Vertrauensmänner der Arbeiter- und Soldatenräte.

7. Einsetzung eines Revolutionstribunals, vor dem die Hauptschuldigen am Kriege und seiner Verlängerung, die beiden Hohenzollern, Ludendorff, Hindenburg, Tirpitz und ihre Mitverbrecher, sowie alle Verschwörer der Gegenrevolution abzuurteilen sind.

8. Sofortige Beschlagnahme aller Lebensmittel zur Sicherung der Volksernährung.

2. Auf politischem und sozialem Gebiet:

1. Abschaffung aller Einzelstaaten; einheitliche deutsche sozialistische Republik.

2. Beseitigung aller Parlamente und Gemeinderäte und Übernahme ihrer Funktionen durch Arbeiter- und Soldatenräte sowie deren Ausschüsse und Organe.

3. Wahl von Arbeiterräten über ganz Deutschland durch die gesamte erwachsene Arbeiterschaft beider Geschlechter in Stadt und

Land, nach Betrieben, sowie von Soldatenräten durch die Mannschaften, unter Ausschluß der Offiziere und Kapitulanten. Recht der Arbeiter und Soldaten zur jederzeitigen Rückberufung ihrer Vertreter.

4. Wahl von Delegierten der Arbeiter- und Soldatenräte im ganzen Reiche für den Zentralrat der Arbeiter- und Soldatenräte, der den Vollzugsrat als das oberste Organ der gesetzgebenden und vollziehenden Gewalt zu wählen hat.

5. Zusammentritt des Zentralrats vorläufig mindestens alle drei Monate - unter jedesmaliger Neuwahl der Delegierten - zur ständigen Kontrolle über die Tätigkeit des Vollzugsrates und zur Herstellung einer lebendigen Fühlung zwischen der Masse der Arbeiter- und Soldatenräte im Reiche und ihrem obersten Regierungsorgan. Recht der lokalen Arbeiter- und Soldatenräte zur jederzeitigen Rückberufung und Ersetzung ihrer Vertreter im Zentralrat, falls diese nicht im Sinne ihrer Auftraggeber handeln. Recht des Vollzugsrates, die Volksbeauftragten sowie die zentralen Reichsbehörden - und Beamten zu ernennen und abzusetzen.

6. Abschaffung aller Standesunterschiede, Orden und Titel. Völlige rechtliche und soziale Gleichstellung der Geschlechter.

7. Einschneidende soziale Gesetzgebung. Verkürzung der Arbeitszeit zur Steuerung der Arbeitslosigkeit und unter Berücksichtigung der körperlichen Entkräftung der Arbeiterschaft durch den Weltkrieg; sechsstündiger Höchstarbeitstag.

8. Sofortige gründliche Umgestaltung des Ernährungs-, Wohnungs-, Gesundheits- und Erziehungswesens im Sinne und Geiste der proletarischen Revolution.

3. Nächste wirtschaftliche Forderungen:

1. Konfiskation aller dynastischen Vermögen und Einkünfte für die Allgemeinheit.

2. Annullierung der Staats- und anderer öffentlicher Schulden sowie sämtlicher Kriegsanleihen, ausgenommen Zeichnungen von einer bestimmten Höhe an, die durch den Zentralrat der Arbeiter- und Soldatenräte festzusetzen ist.

3. Enteignung des Grund und Bodens aller landwirtschaftlichen

Groß- und Mittelbetriebe, Bildung sozialistischer landwirtschaftlicher Genossenschaften unter einheitlicher zentraler Leitung im ganzen Reiche; bäuerliche Kleinbetriebe bleiben im Besitze ihrer Inhaber bis zu deren freiwilligem Anschluß an die sozialistischen Genossenschaften.

4. Enteignung aller Banken, Bergwerke, Hütten, sowie aller Großbetriebe in Industrie und Handel durch die Räterepublik.

5. Konfiskation aller Vermögen von einer bestimmten Höhe an, die durch den Zentralrat festzusetzen ist.

6. Übernahme des gesamten öffentlichen Verkehrswesens durch die Räterepublik.

7. Wahl von Betriebsräten in allen Betrieben, die im Einvernehmen mit den Arbeiterräten die inneren Angelegenheiten der Betriebe zu ordnen, die Arbeitsverhältnisse zu regeln, die Produktion zu kontrollieren und schließlich die Betriebsleitung zu übernehmen haben.

8. Einsetzung einer zentralen Streikkommission, die unter ständigem Zusammenwirken mit den Betriebsräten der beginnenden Streikbewegung im ganzen Reich einheitliche Leitung, sozialistische Richtung und die kräftigste Unterstützung durch die politische Macht der Arbeiter- und Soldatenräte sichern soll.

4. Internationale Aufgaben:

Sofortige Aufnahme der Verbindungen mit den Bruderparteien des Auslandes, um die sozialistische Revolution auf internationale Basis zu stellen und den Frieden durch die internationale Verbrüderung und revolutionäre Erhebung des Weltproletariats zu gestalten und zu sichern.

5. Das will der Spartakus-Bund!

Und weil er das will, weil er der Mahner, der Dränger, weil er das sozialistische Gewissen der Revoluion ist, wird er von allen offenen und heimlichen Feinden der Revolution und des Proletariats gehaßt, verfolgt und verleumdet.

Kreuzigt ihn! rufen die Kapitalisten, die um ihre Kassenschränke zittern.

Kreuzigt ihn! rufen die Kleinbürger, die Offiziere, die Antisemiten, die Preßlakeien der Bourgeoisie, die um die Fleischtöpfe der bürgerlichen Klassenherrschaft zittern.

Kreuziget ihn! rufen die Scheidemänner, die wie Judas Ischariot die Arbeiter an die Bourgeoisie verkauft haben und um die Silberlinge ihrer politischen Herrschaft zittern.

Kreuziget ihn! wiederholen noch wie ein Echo getäuschte, betrogene, mißbrauchte Schichten der Arbeiterschaft und Soldaten, die nicht wissen, daß sie gegen ihr eigen Fleisch und Blut wüten, wenn sie gegen den Spartakus-Bund wüten.

Im Hasse, in der Verleumdung gegen den Spartakus-Bund vereinigt sich alles, was gegenrevolutionär, volksfeindlich, antisozialistisch, zweideutig, lichtscheu, unklar ist. Dadurch wird bestätigt, daß in ihm das Herz der Revolution pocht, daß ihm die Zukunft gehört.

Der Spartakus-Bund ist keine Partei, die über der Arbeitermasse oder durch die Arbeitermasse zur Herrschaft gelangen will.

Der Spartakus-Bund ist nur der zielbewußteste Teil des Proletariats, der die ganze breite Masse der Arbeiterschaft bei jedem Schritt auf ihre geschichtlichen Aufgaben hinweist, der in jedem Einzelstadium der Revolution das sozialistische Endziel und in allen nationalen Fragen die Interessen der proletarischen Weltrevolution vertritt.

Der Spartakus-Bund lehnt es ab, mit Handlangern der Bourgeoisie, mit den Scheidemann-Ebert, die Regierungsgewalt zu teilen, weil er in einer solchen Zusammenwirkung einen Verrat an den Grundsätzen des Sozialismus, eine Stärkung der Gegenrevolution und eine Lähmung der Revolution erblickt.

Der Spartakus-Bund wird es auch ablehnen, zur Macht zu gelangen, nur weil sich die Scheidemann-Ebert abgewirtschaftet und die Unabhängigen durch die Zusammenarbeit mit ihnen in eine Sackgasse geraten sind.

Der Spartakus-Bund wird nie anders die Regierungsgewalt übernehmen als durch den klaren, unzweideutigen Willen der großen Mehrheit der proletarischen Masse in ganz Deutschland, nie anders als kraft ihrer bewußten Zustimmung zu den Ansichten, Zielen und Kampfmethoden des Spartakus-Bundes.

Die prolctarische Revolution kann sich nur stufenweise, Schritt für Schritt, auf dem Golgathaweg eigener bitterer Erfahrungen durch Niederlagen und Siege, zur vollen Klarheit und Reife durchringen.

Der Sieg des Spartakus-Bundes steht nicht am Anfang, sondern am Ende der Revolution: er ist identisch mit dem Siege der großen Millionenmassen des sozialistischen Proletariats.

Auf, Proletarier! Zum Kampf! Es gilt eine Welt zu erobern und gegen eine Welt anzukämpfen. In diesem letzten Klassenkampf der Weltgeschichte um die höchsten Ziele der Menschheit gilt dem Feinde das Wort: Daumen aufs Auge und Knie auf die Brust!

Der Spartakus-Bund

(Flugschrift ohne Datum [Berlin 1918]; entnommen: Rosa Luxemburg: Politische Schriften II. Frankfurt/Wien 1966, S. 159—S. 170).

II
Karl Liebknecht: Das was ist

Zwischen der bisherigen politischen Form und dem bisherigen sozialen Inhalt der deutschen Revolution klafft ein Widerspruch, der Lösung heischt und in dessen Lösung sich die weitere Entwicklung der Revolution vollziehen wird. Ihre politische Form ist die einer proletarischen Aktion, ihr sozialer Inhalt der einer bürgerlichen Reform. Freilich: Ihre politische Form war in erster Reihe eine militärische Aktion, die nur mit manchem Körnlein Salzes proletarisch genannt werden kann; ihre Antriebe waren zum großen Teil nicht proletarische Klassennöte, sondern mehr oder weniger allgemeingesellschaftliche Gebrechen; der Sieg der Arbeiter- und Soldatenmassen war nicht so sehr ihrer Stoßkraft zu verdanken als dem inneren Zusammenbruch des früheren Systems; die politische Form der Revolution war nicht nur proletarische Aktion, sondern auch Flucht der herrschenden Klassen vor der Verantwortung für den Gang der Ereignisse; Flucht der herrschenden Klassen, die mit einem Seufzer der Erleichterung die Liquidation ihres Bankrotts dem Proletariat überließen und so der sozialen Revolution zu entgehen hoffen, deren Wetterleuchten ihnen den Angstschweiß auf die Stirn treibt.

Die heutige »sozialistische« Regierung möchte jenen Widerspruch lösen durch Zurückschrauben der proletarischen Form auf den bürgerlichen Inhalt; Aufgabe des sozialistischen Proletariats ist, den rückständigen Inhalt auf die höhere Stufe der fortgeschrittneren Form zu erheben; die Revolution zur sozialen Revolution zu steigern.

»Das deutsche Proletariat besitzt heute die politische Macht.« Hält dieser Satz den Tatsachen stand? Wohl in allen größeren Städten Deutschlands sind Arbeiter- und Soldatenräte gebildet; daneben aber nicht selten auch Bürgerräte und dergleichen. In den kleineren Städten ist oft alles beim alten geblieben oder nur dekorativ gewandelt. Zahlreiche »Bauernräte« sind entstanden, sie liegen nirgends in den Händen des ländlichen Proletariats, meistens in denen des mittleren und großen Grundbesitzes. Die Arbeiterräte sind keineswegs überall nur dem Proletariat entnommen und dessen eindeutige Vertreter; wir wissen Fälle, in denen die Arbeiter den geschickt sich anbiedernden Unternehmer oder andere feiste Bourgeois sich haben aufschwatzen lassen. Häufig sind die gewählten Arbeiter nur sehr unvollkommen aufgeklärt, nur sehr wenig klassenbewußt oder aber sehr unsicher, unentschlossen, kraftlos, so daß sie entweder gar keinen revolutionären Charakter tragen oder ihre politische Macht gegenüber den Faktoren des alten Regimes nur scheinbar ist. Immer mehr regen sich zudem die Angehörigen aller möglichen bürgerlichen Berufe, um sich als Auch-Arbeiter vorzustellen, und schicken ihre Vertreter in die Arbeiterräte, die so zu einem allgemeinen Volks-Parlament mit beruflicher Gliederung nach den Wünschen des Herrn von Heydebrand (Anmerkung: konservativer Parlamentarier) zu werden drohen.

Mit den Soldatenräten steht es noch ungünstiger. Sie sind der Ausdruck einer aus allen Klassen der Gesellschaft zusammengesetzten Masse, in der zwar das Proletariat bei weitem überwiegt, aber keineswegs das zielbewußte, klassenkampfbereite Proletariat; sie sind oft geradewegs von oben herab, durch das Eingreifen der Offiziere, auch hochfeudaler Kreise, gebildet, die so in schlauer Anpassung ihren Einfluß auf die Soldaten zu bewahren suchten und sich zu ihren Vertretern haben wählen lassen.

Nimmt man hinzu, daß die sozial minderdifferenzierten Soldatenräte nach dem ganzen Wesen der Revolution naturgemäß heute noch weit stärkeren Einfluß besitzen als die Arbeiterräte; daß der ganze bürgerliche Staats- und Verwaltungsapparat und auch die militärische Maschinerie von der »sozialistischen Regierung« nach Kräften aufrechterhalten oder wiederhergestellt worden sind und eine wirksame Kontrolle der Arbeiter- und Soldatenräte darüber nur schwer durchführbar ist; daß die gewaltige wirtschaftliche Machtstellung der besitzenden Klassen nicht angetastet ist und manche ihrer sozialen Machtstellungen, z. B. ihre überlegene formale Bildung, auf absehbare Zeit fast uneinnehmbar sind; daß vor allem der größte Teil der Lebensmittel in den Händen des antiproletarischen, antisozialistischen Grundbesitzes ist, so erkennt man, daß von wirklich politischer Herrschaft des Proletariats heute nur mit stärksten Vorbehalten geredet werden kann.

Allerdings, die gegenwärtige Regierung des Sechs-Männer-Kabinetts und der Vollzugsrat des Arbeiter- und Soldatenrates sind von den Großberliner Arbeiter- und Soldatenräten gewählt, deren innere Reife heute etwa dem Reichsdurchschnitt entsprechen dürfte; aber das ist nur Fassade. Politische Macht besteht nicht in formalen Aufträgen oder irgendwo beschlossenen Vollmachten, sondern in der festen Innehabung so starker realer Machtmittel, daß die Machtstellung vor allen Anschlägen gesichert ist.

Die Zentralen der Staatsgewalt waren am 9. November in den Händen der Arbeiter und Soldaten; niemand hätte sie auch hindern können, wichtige wirtschaftliche Machtmittel zu ergreifen. Statt dessen haben sie sich auch die bereits eroberten politischen Machtmittel seit dem 9. November mehr und mehr wieder entgleiten lassen. Täuschen wir uns nicht. Auch die politische Macht des Proletariats, soweit sie ihm am 9. zugefallen war, ist heute schon zum großen Teil zerronnen und zerrinnt von Stunde zu Stunde weiter. Parallel mit diesem Prozeß der Schwächung des Proletariats geht der höchst intensive Prozeß der Sammlung aller Todfeinde des Proletariats. Auf dem Lande wie in den Städten organisiert sich die Gegenrevolution mit immer offnerem Zynismus. Aus Schleswig-Holstein und anderen Provinzen hören wir, wie sich Landräte, Amts- und Ortsvorsteher, Gendarmen, Kommunalbeamte, Lehrer, Anwälte, Fabrikanten, Bauern und alle wohlhabenden Schichten zu einem täglich festeren und umfassenderen Block zusammenschließen, dessen Gefährlichkeit um so größer ist, je mehr das Landproletariat seinen Einflüssen überlassen und zugänglich ist.

Ein Aushungerungskrieg und - wenn es darauf ankommt - eine Vendée [Anmerkung: Französische Landschaft, bekannt durch eine royalistische Erhebung gegen die Französische Revolution] gegen die proletarischen Zentren der Revolution ist in deutlicher Vorbereitung.

Die Gefahr wächst reißend. Es ist keine Zeit zu verlieren, soll das Proletariat nicht in wenigen Wochen vor einem Trümmerhaufen seiner Hoffnungen stehen. Die arbeitenden Massen müssen dem Prozeß ihrer weiteren Schwächung sofort Halt gebieten; sie müssen der Regierung, die diesen Prozeß fördert, sofort in den Arm fallen: Bis hierher und nicht weiter!

Sie müssen das Eroberte fest in den Fäusten halten: sie müssen zur Eroberung der übrigen Machtpositionen schreiten, um die herrschenden Klassen endgültig niederzuzwingen und die Herrschaft des Proletariats zur Wahrheit und Wirklichkeit von Fleisch und Bein zu gestalten.

Zaudern heißt das noch zu Gewinnende mitsamt dem bisher Gewonnenen verlieren. Zaudern zögert den Tod heran - den Tod der Revolution. Die Gefahr ist riesengroß und dringend.

Die Rote Fahne (Berlin)
Nr. 6, 21. November 1918

Entnommen Karl Liebknecht: Gesammelte Reden und Schriften, Band IX - Mai 1916 bis 15. Januar 1919. Berlin (Ost) 1968, S. 604 bis S. 607.

III
Karl Liebknecht: Trotz alledem!

Generalsturm auf Spartakus! »Nieder mit den Spartakisten!« heult es durch die Gassen. »Packt sie, peitscht sie, stecht sie, schießt sie, spießt sie, trampelt sie nieder, reißt sie in Fetzen!« Greuel werden verübt, die jene belgischen Greuel deutscher Truppen in Schatten stellen.

»Spartakus niedergerungen!« jubiliert es von »Post« bis »Vorwärts«.

»Spartakus niedergerungen!« Und die Säbel, Revolver und Karabiner der wiederhergestellten altgermanischen Polizei und die Entwaffnung der revolutionären Arbeiter werden seine Niederlage besiegeln. »Spartakus niedergerungen!« Unter den Bajonetten des Oberst Reinhardt, unter den Maschinengewehren und Kanonen des Generals Lüttwitz sollen die Wahlen zur Nationalversammlung vollzogen werden - ein Plebiszit für Napoleon-Ebert.

»Spartakus niedergerungen!«

Jawohl! Geschlagen wurden die revolutionären Arbeiter Berlins! Jawohl! Niedergemetzelt an die hundert ihrer Besten! Jawohl! In Kerker geworfen viele Hunderte ihrer Getreuesten! Jawohl! Sie wurden geschlagen. Denn sie wurden verlassen von den Matrosen, von den Soldaten, von den Sicherheitsmannschaften, von der Volkswehr, auf deren Hilfe sie fest gebaut hatten. Und ihre Kraft wurde gelähmt durch Unentschlossenheit und Schwäche ihrer Leitung. Und die ungeheure gegenrevolutionäre Schlammflut aus den zurückgebliebenen Volksteilen und den besitzenden Klassen ersäufte sie.

Jawohl, sie wurden geschlagen. Und es war historisches Gebot, daß sie geschlagen wurden. Denn die Zeit war noch nicht reif. Und dennoch - der Kampf war unvermeidlich. Denn das Polizeipräsidium, dieses Palladium der Revolution, den Eugen Ernst und Hirsch kampflos preisgeben, wäre ehrlose Niederlage gewesen. Der Kampf war dem Proletariat aufgezwungen von der Ebert-Bande; und elementar brauste er aus den Berliner Massen hervor - über alle Zweifel und Bedenken hinweg.

Jawohl! Die revolutionären Arbeiter Berlins wurden geschlagen!

Und die Ebert-Scheidemann-Noske haben gesiegt. Sie haben gesiegt, denn die Generalität, die Bürokratie, die Junker von Schlot und Kraut, die Pfaffen und die Geldsäcke und alles, was engbrüstig, beschränkt, rückständig ist, stand bei ihnen. Und siegte für sie mit Kartätschen, Gasbomben und Minenwerfern.

Aber es gibt Niederlagen, die Siege sind; und Siege, verhängnisvoller als Niederlagen.

Die Besiegten der blutigen Januarwoche, sie haben ruhmvoll bestanden; sie haben um Großes gestritten, ums edelste Ziel der leidenden Menschheit, um geistige und materielle Erlösung der darbenden Massen; sie haben um Heiliges Blut vergossen, das so geheiligt wurde. Und aus jedem Tropfen dieses Bluts, dieser Drachensaat für die Sieger von heute, werden den Gefallenen Rächer erstehen, aus jeder zerfetzten Fiber neue Kämpfer der hohen Sache, die ewig ist und unvergänglich wie das Firmament.

Die Geschlagenen von heute werden die Sieger von morgen sein. Denn die Niederlage ist ihre Lehre. Noch entbehrt ja das deutsche Proletariat der revolutionären Überlieferung und Erfahrung. Und nicht anders als in tastenden Versuchen, in jugendhaften Irrtümern, in schmerzlichen Rückschlägen und Mißerfolgen kann es die praktische Schulung gewinnen, die den künftigen Erfolg gewährleistet. Für die lebendigen Urkräfte der sozialen Revolution, deren unaufhaltsames Wachstum das Naturgesetz der Gesellschaftsentwicklung ist, bedeutet Niederlage Aufpeitschung. Und über Niederlage und Niederlage führt ihr Weg zum Siege.

Die Sieger aber von heute?

Für eine ruchlose Sache verrieten sie ihre ruchlose Blutarbeit. Für die Mächte der Vergangenheit, für die Todfeinde des Proletariats.

Und sie sind schon heute unterlegen! Denn sie sind schon heute die Gefangenen derer, die sie als ihre Werkzeuge zu gebrauchen dachten und deren Werkzeuge sie seit je waren.

Noch geben sie der Firma den Namen. Und nur eine kurze Galgenfrist bleibt ihnen.

Schon stehen sie am Pranger der Geschichte. Nie waren solche Judasse in der Welt wie sie, die nicht nur ihr Heiligstes verrieten, sondern auch mit eigenen Händen ans Kreuz schlagen. Wie die offizielle deutsche Sozialdemokratie im August 1914 tiefer sank als jede andere, so bietet sie jetzt, beim Morgengrauen der sozialen Revolution, das abscheuerregendste Bild.

Die französische Bourgeoisie mußte die Junischlächter von 1848 und die Maischlächter von 1871 aus ihren eigenen Reihen nehmen. Die deutsche Bourgeoisie braucht sich nicht selbst zu bemühen - »Sozialdemokraten« vollführen das schmutzig-verächtliche, das blutigfeige Werk; ihr Cavaignac [Anmerkung: französischer Kriegsminister], ihr Gallifet [Anmerkung: französischer General] heißt Noske, der »deutsche Arbeiter«.

Glockengeläute rief zur Schlächterei; Musik und Tücherschwenken, Siegesjubel der vom »bolschewistischen Schrecken« geretteten Kapitalisten feiert die rettende Soldateska. Noch raucht das Pulver, noch schwelt der Brand des Arbeitermordes, noch liegen die getöteten, noch stöhnen die verwundeten Proletarier, da halten sie Parade über die Mördertruppen, aufgebläht im Siegerstolze, die Ebert, Scheidemann und Noske. Drachensaat!

Schon wendet sich das Proletariat der Welt schaudernd von ihnen, die es wagen, ihre vom Blut der deutschen Arbeiter dampfenden Hände der Internationale entgegenzustrecken. Mit Abscheu und Verachtung werden sie sogar von denen zurückgestoßen, die im Toben des Weltkrieges selbst die Pflichten des Sozialismus preisgegeben hatten. Beschmutzt, ausgestoßen aus den Reihen der anständigen Menschheit, hinausgepeitscht aus der Internationale, gehaßt und verflucht von jedem revolutionären Proletarier, so stehen sie vor der Welt.

Und ganz Deutschland ist durch sie in Schande gestürzt. Bruderverräter regieren das deutsche Volk, Brudermörder. »Schreibtafel her, ich muß es schreiben.«

Oh, ihre Herrlichkeit kann nicht lange währen; eine Galgenfrist, und sie werden gerichtet sein.

Feuerbrände schleudern ihre Thesen in Millionen Herzen, Feuerbrände der Empörung.

Die Revolution des Proletariats, die sie im Blute zu ersäufen dachten, sie wird sich über sie erheben, riesengroß. Ihr erstes Wort wird sein: Nieder mit den Arbeitermördern Ebert-Scheidemann-Noske!

Die Geschlagenen von heute, sie haben gelernt. Sie sind geheilt vom Wahne, ihr Heil in der Hilfe verworrener Truppenmassen finden zu können; geheilt vom Wahne, sich auf Führer verlassen zu können, die sich kraftlos und unfähig erwiesen; geheilt vom Glauben an die unabhängige Sozialdemokratie, die sie schnöde im Stich ließ. Nur auf sich selbst gestellt, werden sie ihre künftigen Schlachten schlagen, ihre künftigen Siege erfechten. Und das Wort, daß die Befreiung der Arbeiterklasse nur das eigene Werk der Arbeiterklasse selbst sein kann, es hat durch die bittere Lehre dieser Woche eine neue, tiefere Bedeutung für sie gewonnen.

Und auch jene irregeleiteten Soldaten werden bald genug erkennen, welches Spiel mit ihnen getrieben wird, wenn sie die Knute des wiederhergestellten Militarismus von neuem über sich fühlen; auch sie werden erwachen aus dem Rausch, der sie heute umfängt.

»Spartakus niedergerungen!«

O gemach! Wir sind nicht geflohen, wir sind nicht geschlagen. Und wenn sie uns in Bande werfen - wir sind da, und wir bleiben da! Und der Sieg wird unser sein.

Denn Spartakus - das heißt Feuer und Geist, das heißt Seele und Herz, das heißt Wille und Tat der Revolution des Proletariats. Und Spartakus - das heißt alle Not und Glückssehnsucht, alle Kampfentschlossenheit des klassenbewußten Proletariats. Denn Spartakus, das heißt Sozialismus und Weltrevolution.

Noch ist der Golgathaweg der deutschen Arbeiterklasse nicht beendet - aber der Tag der Erlösung naht. Der Tag des Gerichts für die Ebert-Scheidemann-Noske und für die kapitalistischen Machthaber, die sich noch heute hinter ihnen verstecken. Himmelhoch schlagen die Wogen der Ereignisse - wir sind es gewohnt, vom Gipfel in die Tiefe geschleudert zu werden. Aber unser Schiff zieht seinen geraden Kurs fest und stolz dahin bis zum Ziel.

Und ob wir dann noch leben werden, wenn es erreicht wird - leben wird unser Programm; es wird die Welt der erlösten Menschheit beherrschen. Trotz alledem!

Unter dem Dröhnen des herangrollenden wirtschaftlichen Zusammenbruchs werden die noch schlafenden Scharen der Proletarier erwachen wie von den Posaunen des Jüngsten Gerichts, und die Leichen der hingemordeten Kämpfer werden auferstehen und Rechenschaft heischen von den Fluchbeladenen. Heute noch das unterirdische Grollen des Vulkans - morgen wird er ausbrechen und sie alle in glühender Asche und Lavaströmen begraben.

(Die Rote Fahne [Berlin] Nr. 15, 15. Januar 1919. Entnommen Karl Liebknecht: Gesammelte Reden und Schriften, Band IX - Mai 1916 bis 15. Januar 1919. Berlin (Ost) 1968, S. 675 bis 679.)

Auswahlbibliographie

Amendt, Günter (Hrsg.): Kinderkreuzzug oder Beginnt die Revolution an den Schulen? Reinbek 1968

Basso, Lelio: Rosa Luxemburgs Dialektik der Revolution. Frankfurt a. Main 1969

Bergsträsser, Ludwig: Geschichte der politischen Parteien in Deutschland. 10. völlig neubearbeitete und bis auf die Gegenwart fortgeführte Auflage. München 1960

Bernstein, Eduard: Die Voraussetzungen des Sozialismus und die Aufgaben der Sozialdemokratie. Herausgegeben von Günther Hillmann. Reinbek 1969

Bußmann, Walter: Das Zeitalter Bismarcks. Vierte, ergänzte Auflage. Frankfurt am Main 1968

Eyck, Erich: Geschichte der Weimarer Republik. Zwei Bände. Zürich und Stuttgart 1954 und 1956

Flechtheim, Ossip K: Die KPD in der Weimarer Republik. Frankfurt am Main 1969

Frölich, Paul: Rosa Luxemburg — Gedanke und Tat. 3. Ausgabe. Frankfurt am Main 1967

Gaus, Günter (Hrsg.): Zur Wahl gestellt. Reinbek 1969

Gottschalch/Karrenberg/Stegmann: Geschichte der sozialen Ideen in Deutschland. Herausgegeben von Helga Grebing. München — Wien 1969

Hannover-Drück, Elisabeth und Hannover, Heinrich (Hrsg.): Der Mord an Rosa Luxemburg und Karl Liebknecht — Dokumentation. 2. Auflage. Frankfurt am Main 1968

Havemann, Robert: Die Partei ist kein Gespenst — Plädoyer für eine neue KPD, in „Der Spiegel“ vom 22. Dezember 1965

Hirsch, Helmut: Rosa Luxemburg in Selbstzeugnissen und Bilddokumenten. Reinbek 1969

Kautsky, Karl: Zu den Programmen der Sozialdemokratie 1891—1925. Eingeleitet und herausgegeben von Albrecht Langner. Köln 1968

Krummacher, F. A. (Hrsg.): Fünfzig Jahre deutsche Republik. Frankfurt am Main 1969

Lenin, W. I.: Ein Schritt vorwärts, zwei Schritte zurück. Berlin (Ost) 1962

Derselbe: Was tun? — Brennende Fragen unserer Bewegung. Berlin (Ost) 1970

Leonhard, Wolfgang: Die Dreispaltung des Marxismus. Düsseldorf und Wien 1970

Liebknecht, Karl: Ausgewählte Reden,

Briefe und Aufsätze — Mit einer Rede von Wilhelm Pieck. Stuttgart 1952
Derselbe: Gesammelte Reden und Schriften. Mit einem Vorwort von Wilhelm Pieck. 9 Bände. Berlin (Ost) 1958—1968
Derselbe: Ausgewählte Reden und Schriften I. Herausgegeben und eingeleitet von Helmut Böhme. Frankfurt am Main und Wien 1969
Lukács, Georg: Geschichte und Klassenbewußtsein — Studien über marxistische Dialektik. Berlin 1923
Luxemburg, Rosa: Briefe an Karl und Luise Kautsky. Herausgegeben von Luise Kautsky. Berlin 1923
Dieselbe: Briefe aus dem Gefängnis. Berlin (Ost) 1946
Dieselbe: Briefe an Freunde — nach dem von Luise Kautsky fertiggestellten Manuskript herausgegeben von Benedikt Kautsky. Hamburg 1950
Dieselbe: Die industrielle Entwicklung Polens. Leipzig 1898
Dieselbe: Die Akkumulation des Kapitals — Ein Beitrag zur ökonomischen Erklärung des Imperialismus. Leipzig 1921
Dieselbe: Einführung in die Nationalökonomie. Herausgegeben von Paul Levi. Berlin 1925
Dieselbe: Ausgewählte Reden und Schriften. 2 Bände. Berlin (Ost) 1951
Dieselbe: Politische Schriften. Herausgegeben und eingeleitet von Ossip K. Flechtheim. I und II Frankfurt am Main und Wien 1966, III Frankfurt am Main und Wien 1968
Dieselbe: Schriften zur Spontaneität. Herausgegeben von Susanne Hillmann. Reinbek 1970
Dieselbe: Einleitung zu Wladimir Korolenko: Die Geschichte meines Zeitgenossen. Frankfurt am Main 1970
Marx, Karl: Politische Schriften. Zwei Bände. Herausgegeben von Hans-Joachim Lieber. Stuttgart 1960
Marx-Engels: Werke. Berlin (Ost) 1958
Miller, Susanne: Das Problem der Freiheit im Sozialismus. 3. Auflage. Frankfurt am Main 1967
Moeller van den Bruck, Arthur: Das dritte Reich. 3. Auflage, bearbeitet von Hans Schwarz. Hamburg/Berlin/Leipzig 1931
Nettl, Peter: Rosa Luxemburg. Köln und Berlin 1967
Oelßner, Fred: Rosa Luxemburg — Eine kritische biographische Skizze. 3. Auflage. Berlin (Ost) 1956
Radek, Karl: Rosa Luxemburg — Karl Liebknecht — Leo Jogiches. Hamburg 1921
Ritter, Gerhard A.: Die Arbeiterbewegung im Wilheminischen Reich. 2. Auflage. Berlin (West) 1963
Ritter, Gerhard A. und Miller, Susanne: Die deutsche Revolution 1918 bis 1919. Dokumente. Frankfurt am Main 1968
Roland Holst-van der Schalk, Henriette: Rosa Luxemburg — Ihr Leben und Wirken. Zürich 1937
Schack, Herbert: Marx—Mao—Neomarxismus — Wandlungen einer Ideologie. Frankfurt am Main 1969
Schmidt, Giselher: Politik als Heilslehre — Zur Idee des Totalitarismus. Mainz 1970
Spann, Othmar: Der wahre Staat. Dritte, neu durchgesehene Auflage. Jena 1932
Thape, Ernst: Von Rot zu Schwarz-Rot-Gold — Lebensweg eines Sozialdemokraten. Hannover 1969

Trotzki, Leo: Mein Leben — Versuch einer Autobiographie. Frankfurt am Main 1961

Weber, Hermann (Hrsg.): Der deutsche Kommunismus — Dokumente. 2. Auflage. Köln und Berlin 1964

Derselbe (Hrsg.): Der Gründungsparteitag der KPD — Protokoll und Materialien. Frankfurt am Main und Wien 1969

Weiss, Andreas von: Die Neue Linke. Boppard am Rhein 1969

Wilde, Harry: Rosa Luxemburg — Ich war — ich bin — ich werde sein. Wien—München—Zürich 1970

Wohlgemuth, Heinz: Die Entstehung der Kommunistischen Partei Deutschlands 1914 bis 1918. Berlin (Ost) 1968

Anmerkungen

Einleitung

[1] Erich Eyck: Geschichte der Weimarer Republik. Erster Band. Zürich und Stuttgart 1954, S. 77

[2] »Welt der Arbeit« vom 10. 8. 1962

[3] Zur Wahl gestellt — CDU/CSU — SPD — FDP — NPD — DKP — SDS — Interviews und Analysen — Herausgegeben von Günter Gaus. rororo-Taschenbuch. Reinbek bei Hamburg 1969, S. 138

Rosa Luxemburg

Rosa Luxemburg als Internationalistin und Humanistin

[1] vgl. Rosa Luxemburg in Selbstzeugnissen und Bilddokumenten — Dargestellt von Helmut Hirsch. Reinbek bei Hamburg 1969, S. 8

[2] Karl Radek: Rosa Luxemburg — Karl Liebknecht — Leo Jogiches. Hamburg 1921, S. 5

[3] Paul Frölich: Rosa Luxemburg — Gedanke und Tat. 3. Auflage. Frankfurt 1967, S. 15

[4] Einleitung von Rosa Luxemburg zu Wladimir Korolenko: Die Geschichte meines Zeitgenossen. Frankfurt/Main 1970, S. 27 f.

[5] a.a.O. S. 32

[6] vgl. Rosa Luxemburg: Politische Schriften III — Herausgegeben und eingeleitet von Ossip K. Flechtheim. furt/Main 1961, S. 191
S. 21

[7] a.a.O. S. 42 und S. 44

[8] vgl. Rosa Luxemburg: Schriften zur Spontaneität. Herausgegeben von Susanne Hillmann. Reinbek bei Hamburg 1970, S. 240

[9] Leo Trotzki: Mein Leben — Versuch einer Autobiographie. Frankfurt/Main 1961 S. 191

[10] Rosa Luxemburg: Briefe an Freunde — nach dem von Luise Kautsky fertiggestellten Manuskript herausgegeben von Benedikt Kautsky. Hamburg 1950, S. 173

[11] Rosa Luxemburg: Briefe aus dem Gefängnis. Berlin (Ost) 1946, S. 24

[12] a.a.O. S. 25

[13] Rosa Luxemburg: Briefe an Freunde, S. 92

[14] Rosa Luxemburg: Briefe aus dem Gefängnis, S. 59

[15] Rosa Luxemburg: Briefe an Karl und Luise Kautsky (1896—1918) — Herausgegeben von Luise Kautsky. Berlin 1923, S. 192 f.

[16] Briefe an Freunde, S. 48 f.

[17] Briefe an Freunde, S. 83

[18] a.a.O. S. 47

[19] Rosa Luxemburg: Politische Schriften II — Herausgegeben von Ossip K. Flechtheim, Frankfurt/Main und Wien 1966, S. 209

[20] vgl. Peter Nettl: Rosa Luxemburg. Köln und Berlin 1967, S. 833

[21] Briefe an Freunde, S. 45 f.

[22] a.a.O. S. 45

[23] Rosa Luxemburg: Politische Schriften III, S. 75

[24] a.a.O. S. 75 f.

[25] zit. nach Andreas von Weiss: Die Neue Linke — Kritische Analyse. Boppard am Rhein 1969, S. 139

[26] Rosa Luxemburg: Politische Schriften III, S. 18

[27] vgl. W. I. Lenin: Über das Recht der Nationen, in Rosa Luxemburg: Ausgewählte Reden und Schriften, I. Band, S. 73

[28] Politische Schriften III, S. 143

[29] a.a.O. S. 148

Rosa Luxemburg und die deutsche Sozialdemokratie

[1] Gerhard A. Ritter: Die Arbeiterbewegung im Wilhelminischen Reich. Die Sozialdemokratische Partei und die Freien Gewerkschaften 1890—1900. 2. Auflage Berlin 1963, S. 42 Fußnote

[2] a.a.O. S. 187

[3] a.a.O. S. 209

[4] vgl. a.a.O. S. 216 Fußnote

[5] a.a.O. S. 182

[6] a.a.O. S. 209

[7] a.a.O. vgl. S. 67 Fußnote

[8] vgl. Rosa Luxemburg in Selbstzeugnissen und Bilddokumenten — Dargestellt von Helmut Hirsch, S. 36

[9] a.a.O. S. 37

[10] Eduard Bernstein: Die Voraussetzungen des Sozialismus und die Aufgaben der Sozialdemokratie. Herausgegeben von Günther Hillmann. Reinbek bei Hamburg 1969, S. 14

[11] a.a.O. S. 169

[12] a.a.O. S. 154

[13] a.a.O. S. 155

[14] Rosa Luxemburg: Politische Schriften I — Herausgegeben und eingeleitet von Ossip K. Flechtheim. Frankfurt/Main und Wien 1966, S. 81

[15] a.a.O. S. 113 f.

[16] a.a.O. S. 115

[17] a.a.O. S. 106

[18] a.a.O. S. 90

[19] a.a.O. S. 82 f.

[20] a.a.O. S. 83

[21] a.a.O. S. 82

[22] a.a.O. S. 83

[23] zit. nach G. A. Ritter, S. 201

[24] vgl. Rosa Luxemburg: Briefe an Karl und Luise Kautsky. Herausgegeben von Luise Kautsky. Berlin 1923, S. 18

[25] Rosa Luxemburg: Politische Schriften I, S. 111

[26] a.a.O. S. 118 f.

[27] a.a.O. S. 119

[28] a.a.O. S. 80 u. S. 81

[29] »Die Rote Fahne« vom 20. November 1918, abgedruckt in: Der deutsche Kommunismus — Dokumente. Herausgegeben und kommentiert von Hermann Weber. Köln und Berlin 1964, S. 70

[30] a.a.O. S. 70

[31] Rosa Luxemburg: Politische Schriften I, S. 181 und S. 182

[32] vgl. a.a.O. S. 197

[33] a.a.O. S. 196

[34] a.a.O. S. 180 und S. 173

[35] a.a.O. S. 173

[36] a.a.O. S. 139
[37] a.a.O. S. 143
[38] a.a.O. S. 199
[39] a.a.O. S. 183
[40] Peter Nettl: Rosa Luxemburg. Köln und Berlin 1967, S. 302
[41] Fred Oelßner: Rosa Luxemburg — Eine kritische biographische Skizze. 3. Auflage. Berlin (Ost) 1956, S. 81
[42] Rosa Luxemburg: Politische Schriften I, S. 103 f.
[43] a.a.O. S. 104
[44] a.a.O. S. 183
[45] a.a.O. S. 183
[46] a.a.O. S. 226
[47] a.a.O. S. 222
[48] a.a.O. S. 228
[49] a.a.O. S. 210
[50] Vorwort zu Rosa Luxemburg: Briefe an Karl u. Luise Kautsky, S. 18
[51] a.a.O. S. 19
[52] Roland Holst-van der Schalk, Henriette: Rosa Luxemburg — Ihr Leben und Wirken. Zürich 1937, S. 218
[53] Frölich, S. 222
[54] Peter Nettl, S. 431
[55] vgl. Albrecht Langners Einleitung zu Karl Kautsky: Zu den Programmen der Sozialdemokratie. Köln 1968, S. 9 f.
[56] Briefe an Karl und Luise Kautsky, S. 27
[57] Oelßner, S. 20
[58] Vorwort zu »Briefe an Karl und Luise Kautsky«, S. 15 f.
[59] Roland-Holst, S. 74
[60] Vorwort zu Briefe an Karl und Luise Kautsky, S. 22
[61] Leo Trotzki: Mein Leben, S. 201
[62] Roland-Holst, S. 102
[63] Briefe an Karl und Luise Kautsky, S. 154
[64] a.a.O. S. 156
[65] a.a.O. S. 157
[66] vgl. a.a.O. S. 175—179
[67] a.a.O. S. 210
[68] Vorwort zu »Briefe an Karl und Luise Kautsky«, S. 24
[69] Politische Schriften III, S. 112
[70] Briefe an Karl und Luise Kautsky, S. 227
[71] Nachwort zu »Briefe an Karl und Luise Kautsky«, S. 232
[72] Rosa Luxemburg: Die Akkumulation des Kapitals — Ein Beitrag zur ökonomischen Erklärung des Imperalismus. Leipzig 1921, S. 303
[73] a.a.O. S. 340
[74] a.a.O. S. 394
[75] a.a.O. S. 430 f.
[76] Karl Radek, S. 20
[77] a.a.O. S. 25
[78] Fred Oelßner: Rosa Luxemburg, S. 71
[79] a.a.O. S. 178
[80] a.a.O. S. 63
[81] Rosa Luxemburg: Briefe an Freunde, S. 85
[82] Oelßner, S. 189
[83] a.a.O. S. 186
[84] a.a.O. S. 189
[85] Ernst Thape: Von Rot zu Schwarz-Rot-Gold — Lebensweg eines Sozialdemokraten. Hannover 1969, S. 19
[86] vgl. Nettl, S. 462
[87] Politische Schriften II, S. 15
[88] a.a.O. S. 6
[89] a.a.O. S. 17
[90] a.a.O. S. 19
[91] a.a.O. S. 20
[92] a.a.O. S. 151 f.
[93] a.a.O. S. 153
[94] a.a.O. S. 154
[95] a.a.O. S. 153
[96] a.a.O. S. 153

[97] a.a.O. S. 153
[98] a.a.O. S. 157
[99] a.a.O. S. 156
[100] a.a.O. S. 155
[101] Korolenko, Wladimir: Die Geschichte meines Zeitgenossen — Aus dem Russischen übersetzt und eingeleitet von Rosa Luxemburg, Frankfurt/Main 1970, S. 32
[102] a.a.O. S. 33
[103] a.a.O. S. 34
[104] a.a.O. S. 34

Rosa Luxemburg und der Kommunismus

[1] Karl Radek: Rosa Luxemburg — Karl Liebknecht — Leo Jogiches. Hamburg 1921, S. 15
[2] Hermann Weber (Hrsg): Der Gründungsparteitag der KPD, S. 10 f.
[3] vgl. a.a.O. S. 13
[4] vgl. a.a.O. S. 11—19
[5] a.a.O. S. 29
[6] Rosa Luxemburg: Ausgewählte Reden und Schriften. II. Band, Berlin (Ost) 1951, S. 606 f.
[7] a.a.O. S. 609 f.
[8] a.a.O. S. 611
[9] a.a.O. S. 620
[10] a.a.O. S. 621
[11] Rosa Luxemburg: Politische Schriften II, S. 166 f.
[12] Ausgewählte Reden und Schriften II. Band, S. 639
[13] a.a.O. S. 642 ff.
[14] a.a.O. S. 653 f.
[15] Hermann Weber (Hrsg.): Der Gründungsparteitag der KPD, S. 32 ff.
[16] a.a.O. S. 38 f.
[17] a.a.O. S. 202
[18] a.a.O. S. 103
[19] a.a.O. S. 101
[20] Roland-Holst, S. 199
[21] Weber: Der Gründungsparteitag der KPD, S. 187
[22] a.a.O. S. 194
[23] a.a.O. S. 195
[24] a.a.O. S. 187
[25] a.a.O. S. 191
[26] Rosa Luxemburg: Politische Schriften II, S. 165
[27] a.a.O. S. 209
[28] W. I. Lenin: Was tun? — Brennende Fragen unserer Bewegung. Berlin (Ost) 1970. S. 62
[29] a.a.O. S. 135
[30] a.a.O. S. 145
[31] a.a.O. S. 169 f.
[32] W. I. Lenin: Ein Schritt vorwärts, zwei Schritte zurück. Berlin 1962. S. 97
[33] a.a.O. S. 109 Fußnote
[34] a.a.O. S. 99
[35] a.a.O. S. 83 f.
[36] Lenin: Was tun? S. 57
[37] Lenin: Ein Schritt vorwärts ..., S. 115
[38] Rosa Luxemburg: Politische Schriften III. Frankfurt/Main 1968, S. 84 und S. 85
[39] a.a.O. S. 86
[40] a.a.O. S. 88
[41] a.a.O. S. 88 f.
[42] a.a.O. S. 90 f.
[43] a.a.O. S. 94
[44] a.a.O. S. 105
[45] a.a.O. S. 94
[46] abgedruckt in: Rosa Luxemburg: Ausgewählte Reden und Schriften. Berlin (Ost) 1951, I. Band, S. 23
[47] a.a.O. S. 27
[48] a.a.O. S. 28
[49] a.a.O. S. 36
[50] Peter Nettl, S. 532
[51] a.a.O. S. 533
[52] a.a.O. S. 553

[53] Briefe an Karl und Luise Kautsky, S. 159 f.

[53a] vgl. Fred Oelßner, S. 85 f. und Peter Nettl, S. 560 ff.

[54] Oelßner, S. 86

[55] a.a.O. S. 88

[56] a.a.O. S. 88 f.

[57] a.a.O. S. 89

[58] abgedruckt in: Rosa Luxemburg: Ausgewählte Reden und Schriften, I. Band, S. 43

[59] a.a.O. S. 43

[60] a.a.O. S. 51

[61] a.a.O. S. 73

[61a] a.a.O. S. 60

[62] a.a.O. S. 117

[63] a.a.O. S. 117 f.

[64] a.a.O. S. 119

[65] Rosa Luxemburg: Politische Schriften III, S. 106

[66] a.a.O. S. 106

[67] a.a.O. S. 113

[68] a.a.O. S. 111 f.

[69] a.a.O. S. 112 f.

[70] a.a.O. S. 115

[71] a.a.O. S. 116

[72] a.a.O. S. 108

[73] a.a.O. S. 109

[74] a.a.O. S. 109

[75] a.a.O. S. 118

[76] a.a.O. S. 118

[77] a.a.O. S. 119 u. 120

[78] a.a.O. S. 120

[79] a.a.O. S. 121

[80] a.a.O. S. 124 f.

[81] a.a.O. S. 126

[82] a.a.O. S. 126

[83] a.a.O. S. 129

[84] a.a.O. S. 130

[85] a.a.O. S. 131

[86] a.a.O. S. 132

[87] a.a.O. S. 133

[88] a.a.O. S. 136

[89] a.a.O. S. 114

[90] a.a.O. S. 134

[91] a.a.O. S. 138

[92] a.a.O. S. 139

[93] a.a.O. S. 138

[94] a.a.O. S. 140

[95] a.a.O. S. 137

[96] a.a.O. S. 140

[97] a.a.O. S. 141

[98] a.a.O. S. 141

[99] Hermann Weber: Einleitung zu: Der deutsche Kommunismus — Dokumente, S. 18

[100] Georg Lukács: Geschichte und Klassenbewußtsein — Studien über marxistische Dialektik. Berlin 1923, S. 5 f.

[101] a.a.O. S. 6

[102] a.a.O. S. 288

[103] a.a.O. S. 290

[104] a.a.O. S. 281

[105] a.a.O. S. 283

[106] zit. nach Oelßner, S. 217

[107] Rosa Luxemburg: Ausgewählte Reden und Schriften I. Band, S. 142 f.

[108] a.a.O. S. 144

[109] zit. bei Oelßner, S. 214

[110] a.a.O. S. 216

[111] zit. in: Rosa Luxemburg: Ausgewählte Reden und Schriften, I. Band, S. 16

[112] a.a.O. S. 6

[113] a.a.O. S. 11

[114] a.a.O. S. 15

[115] Fred Oelßner, S. 7 f.

[116] a.a.O. S. 211 f.

[117] a.a.O. S. 165

[118] vgl. Wolfgang Leonhard: Die Dreispaltung des Marxismus. Düsseldorf und Wien 1970, S. 348

[119] vgl. a.a.O. S. 441

[120] a.a.O. S. 441

[121] a.a.O. S. 441 f.

[122] Robert Havemann: Die Partei ist

kein Gespenst — Plädoyer für eine neue KPD, in »Der Spiegel« vom 22. Dezember 1965, S. 30 f.

[123] Lelio Basso: Rosa Luxemburgs Dialektik der Revolution. Frankfurt/Main 1969, S. 7

[124] Helmut Hirsch: Rosa Luxemburg, S. 130

Karl Liebknecht

Der Sohn Wilhelm Liebknechts

[1] Amendt, Günter (Herausgeber): Kinderkreuzzug oder Beginnt die Revolution an den Schulen? Hamburg 1968, S. 13

[2] Gottschalch/Karrenberg/Stegmann: Geschichte der sozialen Ideen in Deutschland — Deutsches Handbuch der Politik — Band 3, München—Wien 1969, S. 230

[3] Karl Marx: Der Bürgerkrieg in Frankreich, in Karl Marx: Politische Schriften. Herausgegeben von Hans-Joachim Lieber, 2. Band, S. 918 und S. 922 ff.

[4] vgl. Walter Bußmann: Das Zeitalter Bismarcks, 1852—1890. Vierte, ergänzte Ausgabe, Frankfurt/Main 1968, S. 177 f.

[5] zitiert nach Gottschalch/Karrenberg/Stegmann, S. 150

[6] zit. nach Gerhard A. Ritter: Die Arbeiterbewegung im Wilhelminischen Reich, S. 91 Fußnote

[7] zit. nach Vorwort von Wilhelm Pieck zu Karl Liebknecht: Gesammelte Reden und Schriften, Band I. Berlin (Ost) 1958, S. 7

[8] vgl. Bußmann, S. 177

[9] Karl Liebknecht, Vorwort zu Band I, S. 7 f.

[10] Bußmann, S. 177

[11] Karl Liebknecht, Vorwort zu Band I, S. 9

[12] Bußmann, S. 179 f.

Kampf gegen ›Revisionismus‹ und ›Reformismus‹

[1] Karl Liebknecht: Gesammelte Reden und Schriften, Band I, S. 14

[2] a.a.O. S. 17

[3] a.a.O. S. 17

[4] a.a.O. S. 19

[5] a.a.O. S. 25 f.

[6] Karl Liebknecht: Ausgewählte Reden und Schriften I, Frankfurt/Main und Wien 1969, S. 16

[7] Karl Liebknecht, Gesammelte Reden und Schriften, Band III, S. 484

[8] a.a.O. S. 488 f.

[9] a.a.O. S. 489

[10] Gesammelte Reden und Schriften, Band I, S. 160

[11] a.a.O. S. 160

[12] a.a.O. S. 164

[13] a.a.O. S. 162

Arbeiterjugendbewegung und Antimilitarismus

[1] Karl Liebknecht: Gesammelte Reden und Schriften, Band I, S. 183

[2] a.a.O. S. 187

[3] a.a.O. S. 197

[4] a.a.O. S. 456

[5] Karl Liebknecht: Gesammelte Reden und Schriften, Vorwort zu Band II, S. 8 f.

[6] a.a.O. S. 163

[7] Gesammelte Reden und Schriften, Band IX, S. 629

Karl Liebknecht als Parlamentarier

[1] Karl Liebknecht: Gesammelte Reden und Schriften, Band I, S. 479 f.

[2] Band II, S. 282 f.
[3] a.a.O. S. 284
[4] a.a.O. S. 284 f.
[5] a.a.O. S. 289
[6] Band IV, S. 521 f.
[6a] Band VI, S. 260
[7] a.a.O. S. 267
[8] a.a.O. S. 273 f.
[9] a.a.O. S. 284
[10] a.a.O. S. 289
[11] a.a.O. S. 296

Karl Liebknechts Kampf gegen den Krieg

[1] vgl. Karl Liebknecht: Gesammelte Reden und Schriften, Band VIII, S. 637 f.
[2] vgl. Hermann Weber (Hrsg.): Der Gründungsparteitag der KPD, S. 12
[3] Karl Liebknecht, VIII, S. 63 f.
[4] a.a.O. S. 65 f.
[5] a.a.O. S. 66
[6] vgl. Vorwort zu Band VIII, S. 11 f.
[7] Band VIII, S. 209
[8] vgl. Band VIII, S. 641 und Weber, S. 15
[9] Band VIII, S. 229 f.
[10] a.a.O. S. 297
[11] a.a.O. S. 271 f.
[12] a.a.O. S. 279
[13] vgl. Weber, S. 17
[14] vgl. Band VIII, S. 601—606
[15] a.a.O. S. 615 f.
[16] vgl. Band IX S. 96
[17] Peter Nettl, S. 456
[18] a.a.O. S. 589
[19] Karl Radek, S. 32
[20] Peter Nettl, S. 602
[21] Rosa Luxemburg: Briefe an Karl und Luise Kautsky, S. 202
[22] Karl Radek, S. 33
[23] Gottschalch/Karrenberg/Stegmann, S. 229
[24] zit. in Karl Liebknecht: Ausgewählte Reden, Briefe und Aufsätze. Stuttgart 1952, S. 57

Karl Liebknecht als Spartakusführer

[1] Hermann Weber (Herausgeber): Der Gründungsparteitag der KPD — Protokolle und Materialien, S. 17
[2] Karl Liebknecht: Gesammelte Reden und Schriften, Band IX, S. 325
[3] a.a.O. S. 325
[4] a.a.O. S. 326
[5] a.a.O. S. 327
[6] a.a.O. S. 566
[7] vgl. Roland-Holst, S. 172 und Peter Nettl, S. 675
[8] Liebknecht, Band IX, S. 589 f.
[9] a.a.O. S. 591 f.
[10] a.a.O. S. 593
[11] a.a.O. S. 596 f.
[12] a.a.O. S. 602
[13] a.a.O. S. 599 f.
[14] a.a.O. S. 639
[15] a.a.O. S. 651
[16] Hermann Weber, S. 222
[17] Paul Frölich, S. 338
[18] Liebknecht, Band IX, S. 676
[19] a.a.O. S. 679

Rosa Luxemburg und Karl Liebknecht — Kritische Schlußbetrachtung

[1] Henriette Roland Holst-van der Schalk: Rosa Luxemburg, S. 215
[2] a.a.O. S. 63
[3] Helmut Hirsch: Rosa Luxemburg in Selbstzeugnissen und Bilddokumenten, S. 37
[4] Rosa Luxemburg: Briefe an Freunde, S. 45
[5] Roland-Holst, S. 46

[6] Hermann Weber (Hrsg.): Der Gründungsparteitag der KPD, S. 198

[7] Peter Nettl: Rosa Luxemburg, S. 477 Fußnote

[8] Karl Liebknecht: Gesammelte Reden und Schriften, Band I, S. 430

[9] Weber: Der Gründungsparteitag der KPD, S. 191

[10] a.a.O. S. 195

[11] Arthur Moeller van den Bruck: Das dritte Reich, 3. Auflage 1931, S. 145 f.

[12] Othmar Spann: Der wahre Staat, 3. Auflage 1931, S. 147; vgl. dazu auch Giselher Schmidt: Politik als Heilslehre — Zur Idee des Totalitarismus. Mainz 1970, S. 149 f.

Personenregister

ISL - Vico-order

15,-